Wolfgang Kammer

Vier greifen ein

Überfall im Park

SCHNEIDER BUCH

Die Deutsche Bibliothek – CIP-Einheitsaufnahme

Kammer, Wolfgang:
Vier greifen ein / Wolfgang Kammer. – München :
F. Schneider.

Bd. 4. Überfall im Park. – 1997
  ISBN 3-505-10649-6

Dieses Buch wurde auf chlorfreies,
umweltfreundlich hergestelltes
Papier gedruckt. Es entspricht den
neuen Rechtschreibregeln.

© 1997 by Franz Schneider Verlag GmbH
Schleißheimer Straße 267, 80809 München
Alle Rechte vorbehalten
Titelbild: Werner Heymann
Umschlaggestaltung: ART-DESIGN Wolfrath, München
Lektorat: Marianne Vittinghoff
Herstellung/Satz: FIBO Lichtsatz GmbH, München
Schrift: 10˙ Excelsior
Druck: Presse-Druck, Augsburg
Bindung: Conzella Urban Meister, München-Dornach
ISBN 3-505-10649-6

1. Kapitel

Ein Kettchen für Sibylle ·
Ein dreister Überfall · Familie Bastian
erstattet eine Anzeige

Ein freundlich frischer Herbstwind schob Sibylle von der Saseler Allee über die Pinneberger Straße fast bis in den Poppenbütteler Park. In einem Drahtkorb, der auf dem Gepäckträger ihres Rades befestigt war, lagen ein großes Stück selbst gebackener Apfelkuchen, ein Schälchen mit frisch geschlagener Sahne und ein kleiner Strauß Margeriten.

Ein wenig kam sich Sibylle vor wie das Rotkäppchen, denn auch sie war unterwegs zu ihrer Oma, mit der sie zusammen Kaffee trinken und Kuchen essen wollte. Sibylle fuhr vorsichtig. Sie lenkte ihr Rad auf einen schmalen Weg, der sie zuerst unter schattigen Kastanien hindurch und dann an die Alster führte, den kleinen Fluss, der ruhig und friedlich in Richtung Hamburg floss. In Höhe des Springbrunnens, der sich am Ende der Allee befand, fasste sie nach hinten und prüfte, ob mit dem Korb noch alles in Ordnung war. Wenige Minuten später verließ sie den Park, fuhr anschließend über die Eimsbütteler Straße und erreichte dann die gelb gestrichene Villa der Oma.

Sibylle klingelte und wartete. Dann hörte sie Schritte. Ein Schlüssel drehte sich im Schloss. Die Tür wurde geöffnet.

„Schon da?", fragte Oma Bastian mit ganz erstauntem Gesicht. „Wir hatten doch gerade erst noch miteinander telefoniert."

Statt einer Antwort gab Sibylle ihrer Großmutter einen Kuss und überreichte ihr den kleinen Blumenstrauß.

„Die Blumen sind für dich", sagte sie, „die sind von der Mama."

Oma Bastian strahlte, nahm ihre Enkeltochter in die Arme, drückte sie an sich und ließ sie eintreten.

„Schön, dass du mich gerade heute besuchst, am zehnten Todestag von unserem Opa."

Die Oma holte für die Blumen eine passende Vase, schenkte danach Kaffee und Kakao in die bereit gestellten Tassen und verteilte die Sahne auf dem Kuchen.

„Setze dich!", sagte sie. „Jetzt lassen wir es uns aber schmecken."

Sibylle schielte nach der Zigarrenkiste, die auf dem Tisch stand. Sie war voller alter Fotografien. Mit der Oma Fotos anzuschauen war immer ein Abenteuer, denn zu jedem der Bilder gehörte natürlich auch eine Geschichte. Oma Bastian ließ Sibylle nicht lange warten. Sie

nahm die Kiste, öffnete den Deckel und zog
wahllos verschiedene Bilder heraus.

„Hier", sagte sie stolz und zeigte auf ein sehr
altes Bild. „Das war ich, als ich so alt war, wie
du jetzt bist."

Sibylle kannte das Bild. Trotzdem musste sie
lachen. Auf dem Foto war ein hübsches, drei-
zehnjähriges Mädchen abgebildet, das in einem
langen Kleid und in Schnürstiefeln steckte. Ihr
Haar war zu einem Zopf geflochten und wie ein
Kranz um ihre Stirn gelegt. Über Sibylles Lachen ärgerte sich die Oma nicht. Im Gegenteil.
Auch sie konnte sich ein Schmunzeln nicht verkneifen. Immer wieder griff sie in die Kiste;
mal hatten sie den Opa als Bergsteiger, mal in
seinem ersten Auto. Das Foto von einer kleinen
schwarzweißen Maus stimmte die Oma ein wenig traurig.

„Das war Quadrillia, meine Tanzmaus", erzählte sie. „Ich hatte sie immer bei mir in der
Schürzentasche. Einmal spielte ich mit meinen
Freunden Nachlaufen, da passierte es. Ich
stürzte und fiel so ungeschickt auf Quadrillia,
dass sie gestorben ist."

Sibylle besah sich das niedliche, kleine Tier
ganz genau. „Und?", fragte sie. „Hast du eine
neue Maus bekommen?"

Die Oma schüttelte den Kopf. „Nein", antwortete sie. „Von da an durfte ich kein Tier
mehr haben."

Die Zeit verging wie im Fluge. Als Sibylle
und die Oma das letzte Bild betrachteten, war
es schon sechs Uhr. Die Oma legte die Bilder in

die Kiste zurück, klappte den Deckel zu und stellte sie in den Schrank. Dann öffnete sie eine Schublade und entnahm ihr etwas, was Sibylle nicht sofort erkannte. Sie nahm nur ein ganz kurzes Blinken und Blitzen wahr.

Die Oma kam zurück an den Tisch und strich ihrer Enkeltochter über das Haar.

„Ich will dir etwas schenken", sagte sie. „Weil ..., weil ich dich sehr gern habe und weil das einem jungen Mädchen besser steht als einer alten Frau."

Die Oma öffnete ihre Hand, griff nach Sibylles Arm und legte ein Armband darum, das aus einer Unzahl von sechseckigen, schuppig aussehenden, kleinen, goldenen Gliedern bestand. Sibylle war im ersten Augenblick sprachlos. Dann aber, als sie anfing zu begreifen, fiel sie ihrer Oma um den Hals.

„Für mich?", fragte sie ungläubig. „Das ist wirklich für mich?"

Oma Bastian nickte.

„Danke, Omilein", sagte Sibylle. „Danke. Oh, ich freue mich so. Ich werde darauf aufpassen wie auf meinen Augapfel."

Die Oma, die sich durch Sibylles Freude in die Situation zurückversetzt sah, als sie selbst das Kettchen geschenkt bekommen hatte, stellte etwas verlegen das Geschirr zusammen. „Ich weiß, ich weiß ...", murmelte sie. „Und nun wird es Zeit, dass du dich auf die Socken machst. Immerhin ist es schon kurz vor sieben."

Sibylle besah sich das Kettchen noch einmal ganz genau, dann nahm sie es vom Arm und ging damit zur Garderobe. Dort steckte sie es in die obere Tasche ihrer Jacke und zog den Reißverschluss zu.

„Sicher ist sicher", sagte sie. „Und zu Hause kommt die Kette in Papas Tresor."

Sibylle nahm ihren Korb, gab der Oma einen Kuss und verließ das Haus.

Der Wind hatte sich inzwischen gelegt. Sibylle öffnete das Fahrradschloss und radelte los. Sie nahm den gleichen Weg zurück, den sie gekommen war. Überglücklich fuhr sie in den Park, dann auf die Alster zu und am Springbrunnen vorbei, bis zu den alten Kastanien. Fröhlich pfeifend schaute sie nach vorn.

Doch was war das? Komisch. Sie glaubte an der Stelle, wo der Weg sich gabelte, huschende Bewegungen gesehen zu haben. Was konnte das gewesen sein? Gefühle, die sie sonst nicht kannte, überfielen sie. Unsicherheit und Furcht. Sibylle richtete sich auf, straffte ihren Körper und versuchte diese fremden Gefühle zu ignorieren. Mutig radelte sie weiter. Fünfzig Meter, hundert Meter. Und dann passierte es doch. Hinter den Bäumen, die sie respektvoll im Auge behalten hatte, traten plötzlich drei Gestalten hervor, die ihr den Weg versperrten. Es waren Jugendliche, nicht viel älter als sie selbst. Sie hatten sich Schirmmützen ganz tief in ihre Gesichter gezogen. Sibylle trat mit aller Kraft in die Bremse und kam mit quietschendem Hinterreifen zum Stehen. Stumm schauten die drei Typen sie an. Was wollten die von ihr?

Im Halbkreis standen sie um Sibylle herum und kamen bis auf Armlänge näher.

„Was soll das?", schimpfte Sibylle. „Habt ihr sie noch alle auf der Reihe?"

Die drei Jugendlichen grinsten frech. Einer von ihnen schnalzte lässig mit der Zunge, ein zweiter schob sich kraftstrotzend seine Hemdsärmel hoch und der Dritte, der einen hellen, fein gerippten Pullover trug, sagte einfach: „Knete."

In ihrer Aufregung verstand Sibylle nicht so schnell, was der Typ meinte. Dann aber, als er mit Daumen und Zeigefinger eine eindeutige Bewegung machte, wusste sie Bescheid. Doch was sollte sie tun? Hilfe suchend schaute sie sich um. Der Park schien leer zu sein, leer und von allen Menschen verlassen. Das ist kein Spass, dachte sie und umspannte den Lenker ihrer Rades so fest, dass ihre Knöchel weiß heraustraten.

„Was ist?", sagte der, der die Knete gefordert hatte. „Wie lange sollen wir noch warten?"

In Sibylle lehnte sich etwas auf. So leicht wollte sie sich nicht unterkriegen lassen. Energisch schob sie ihr Fahrrad auf die Jugendlichen zu. „Lasst mich durch!", schrie sie. „Ich habe nichts, ich gebe euch nichts und ich habe auch nichts mit euch zu schaffen."

Der mit dem feinen Pullover stieß einen spitzen Pfiff zwischen den Zähnen hervor und trat plötzlich mit einem Fuß und mit aller Kraft heftig in die Speichen von Sibylles Vorderrad. Der Tritt war so stark, dass Sibylle ihr Fahrrad fallen lassen musste. Eingeschüchtert sah sie ein, dass sie dieser Gewalt nicht gewachsen war.

„Ihr könnt das Fahrrad haben", hörte sie sich selber sagen, „ich schenke es euch."

Die drei Typen lachten.

„Willst du uns etwa verarschen?", fragte der mit dem hellen Pullover. Er ging drohend einen Schritt auf Sibylle zu. „Entweder Geld oder deine Jacke! Ist doch eine prima Marke, hat bestimmt einen Haufen Geld gekostet. Los, Heino! Krall sie dir!"

Noch ehe Sibylle es verhindern konnte, bekam sie von hinten einen unerwarteten Schubs. Sie strauchelte. Dann spürte sie, wie jemand versuchte ihr die Jacke von den Schultern zu reißen. Sie drehte sich um. Es war der mit den hochgeschobenen Ärmeln. Er war tätowiert. Er trug auf dem Unterarm ein eintätowiertes Schwert und darunter ein längeres Wort. Doch bevor sie genauer hingucken konnte, drehte ihr einer der anderen einen Arm um. Sibylle hatte keine Chance und ohne weitere Gegenwehr ließ sie sich die Jacke von den Schultern ziehen.

So schnell, wie der Überfall erfolgt war, war er auch wieder vorbei. Die jugendlichen Räuber ließen von ihr ab. Sie schwangen Sibylles Jacke hoch über ihren Köpfen und verließen gröhlend den Park.

Sibylle war fix und fertig. Eine ganze Zeit lang blieb sie noch mit gemischten Gefühlen auf der Erde sitzen. Der Schock war zu groß. Einerseits spürte sie Erleichterung darüber, dass ihr nichts Schlimmeres passiert war. Aber andererseits konnte sie nun die Tränen nicht mehr zurückhalten. Nicht wegen der gestohlenen Jacke. Es war die Erniedrigung, es war die Tatsache unschuldig Gewalt erfahren zu haben. Sibylle beruhigte sich allmählich. Sie raffte sich auf und setzte sich erschöpft auf eine in der Nähe stehende Bank.

Ein älteres Ehepaar, das einen greisen Beagle an der Leine führte, kam von der Alster her den Weg entlangspaziert. Mit missbilligenden, vorwurfsvollen Blicken blieben sie einen Moment vor Sibylles Fahrrad stehen, dann gingen sie, ohne ein Wort zu sagen, weiter.

„In welch einer Welt leben wir?", schimpfte Herr Bastian, der sich als Letzter an den Tisch setzte und reichlich von der Selleriesuppe nahm, die seine Frau, frisch gekocht und heiß, auf den Tisch gestellt hatte. „Wo leben wir denn, wenn schon die Jugend nicht mehr weiß, was Recht und Ordnung ist, wenn sie hemmungslos stiehlt und raubt, obwohl sie es gar nicht nötig hat?"

Sibylle fühlte sich angesprochen. „Das habe ich der Mama alles schon erzählt", sagte sie. „Es stimmt. Die Jungs sahen nicht so aus, als wenn es ihnen schlecht ginge."

Herr Bastian nickte und löffelte seine Suppe in sich hinein.

Niko schaute zu seiner Mutter. „Ich meine, Sibylles Jacke war doch noch ganz neu und ziemlich teuer ..."

Frau Bastian machte eine abweisende Handbewegung. „Ach, darum geht es eigentlich
nicht. Es geht nicht um das Geld und um die
Jacke. Es geht darum, dass Menschen, die so etwas erleben, sich vielleicht nie mehr alleine in
einen Park trauen."

„Dann müssen wir zur Polizei", folgerte Niko. „Vielleicht plant die Gang ja noch weitere
Überfälle."

„Niko hat Recht", sagte Herr Bastian. Er
tupfte sich mit seiner Serviette über die Lippen. „Aber es gibt auch noch eine andere Be-
trachtungsweise."

„Welche denn?", fragte Sibylle. „Bin ich etwa nicht überfallen und beraubt worden? Hat
mir niemand brutal einen Arm umgedreht?"

Herr Bastian legte seiner Tochter verständ-
nisvoll eine Hand auf die Schulter. „Natürlich,
Liebes", sagte er. „Dir soll ja auch Recht ge-
schehen. Aber wenn die Polizei die Burschen
wirklich schnappt, kommt es auch zu einer Ge-
genüberstellung. Das solltest du wissen. Du
musst die Täter identifizieren. Sie erfahren
deinen Namen und unsere Anschrift." Herr
Bastian machte eine bedeutungsvolle Pause.
„... und dann rächen sie sich an dir oder an der
Spedition ... und am Ende ist der Schaden vielleicht noch viel größer."

Frau Bastian nickte. „Es stimmt, was Papa
sagt. Aber ich habe ein schlechtes Gefühl dabei, wenn wir es nicht der Polizei melden. Wenn
solche Dinge nicht aufgeklärt und nicht bestraft werden, dann breiten sie sich aus wie ei-

ne Seuche. Und darum, Billi, wollten wir dich fragen, wie du das siehst."

Sibylle schaute ihren Bruder an und dachte einen Augenblick nach. „Es sind gemeine Kerle", sagte sie voller Überzeugung. „Sie werden es immer wieder tun. Wenn es nach mir geht, dann werden sie angezeigt, gefangen und bestraft."

„Das sind klare Worte", sagte Herr Bastian, „alles was recht ist. Respekt, Respekt."

Auch Frau Bastian fand die Entscheidung ihrer Tochter in Ordnung.

„Ich werde mich um alles kümmern", sagte sie, „falls es nicht lieber der Papa ..."

Doch ihr Mann winkte ab. „Es ist immer richtig, wenn der etwas tut, der von einer Sache am meisten überzeugt ist", sagte er, „und das seid ja wohl ihr zwei." Er schaute zu seiner Tochter und dann zu seiner Frau. Und weil niemand mehr etwas sagte, schöpfte er sich in aller Ruhe noch eine Kelle Selleriesuppe auf den Teller.

Sibylle lag schon mehr als eine halbe Stunde im Bett, ohne einschlafen zu können. Immer wieder dachte sie an den gemeinen Überfall, an die alten Leute mit dem Hund, die ihr nicht geholfen hatten, und an den Besuch bei der Oma. Das Bild von Quadrillia, der armen Tanzmaus, die durch Omas Schuld so früh gestorben war, fiel ihr ein und dann das goldene Kettchen.

„Himmel!", entfuhr es ihr. Wie elektrisiert saß sie plötzlich in ihrem Bett: das Kettchen!

Sie hatte es ganz vergessen. Das Kettchen war in der Jacke gewesen und damit genauso weg wie die Jacke selbst. Sie knipste das Licht an und schaute auf die Uhr. Es war schon nach elf. Trotzdem. Sie sprang aus dem Bett, schlüpfte in ihre Pantoffeln und ging zum Zimmer ihres Bruders. Ein kurzes Klopfen, dann öffnete sie die Tür. Niko lag auf der Seite, hatte sich die Bettdecke unter seinem Kinn zusammengezogen und schlief fest. Sibylle stupste ihn mit den Fingerspitzen an. Als das nichts nützte, rüttelte sie ihn und zog an seinem Arm. Niko wälzte sich zur Seite, murmelte etwas in sich hinein und schlief weiter. Aber Sibylle ließ sich davon nicht abhalten.

„Niko ...!", flüsterte sie eindringlich. „Niko ..., wach auf! Ich muss dir noch etwas Wichtiges erzählen."

Niko richtete sich auf und blinzelte gegen das Licht, das vom Flur her in das Zimmer fiel.

„Ach, du bist es. Was ist denn los?"

Sibylle setzte sich zu ihrem Bruder auf die Bettkante. „Das goldene Armband ist auch weg", sagte sie aufgeregt. „Das schöne Armband."

„Welches Armband?"

„Das von der Oma."

Niko wusste wirklich nicht, was seine Schwester meinte. „Von einem Armband weiß ich nichts", murmelte er schlaftrunken.

„Ach ja", Sibylle seufzte. „Das weißt du ja gar nicht. Ich war heute Nachmittag bei der Oma. Sie hat mir ein goldenes Armband geschenkt, ein Kettchen. Es ist ein Andenken an den Opa. Ich muss es unbedingt wiederhaben."

Niko begriff langsam die Zusammenhänge. „Und das Kettchen war in der roten Jacke?"

Sibylle nickte. „Ich hatte es in eine der oberen Taschen gesteckt. Das war der sicherste Platz."

Niko betrachtete seine Schwester, die so traurig vor ihm saß und ihn Hilfe suchend anschaute. Was sollte er ihr antworten? Eine geraume Zeit dachte Niko nach. Dann legte er einen Arm um ihre Schulter. „Wir werden die Jacke und das Kettchen wiederbesorgen, Billi", sagte er zuversichtlich und voller Überzeugung, obwohl er nicht die leiseste Ahnung hatte, wie sie es anstellen sollten.

2. Kapitel

**Niko und die Metamorphose ·
Was Herr Rotherkamp zu berichten
weiß · Der Koloss heißt Berdy und
er fährt einen Scooter**

Mit dem letzten Klingeln betrat Niko das Klas-
senzimmer und hatte so keine Gelegenheit mit
Eike zu sprechen. Ein kurzes ‚Hey' war drin,
mehr nicht. Und nun saß er auf seinem Platz
und hörte dem aufgeregten Herrn Feiss zu, der
sich redlich mühte den Schülern am Beispiel
des Kartoffelkäfers den Gestaltwandel zu erklären. Niko empfand das alles, gemessen an
dem, was gestern seiner Schwester passiert
war, als stinklangweilig. Er besah sich seine
Klassenkameraden und -kameradinnen und
überlegte, ob sie wohl fähig wären so etwas zu
tun; ob sie fähig wären einen fremden Menschen zu bedrohen und zu berauben. Instinktiv
schüttelte er den Kopf. Sein Vater hatte das
Wort Raub benutzt und Raub, das hörte sich
schon sehr schwerwiegend an.

Niko betrachtete die dunkelhaarige Barbara

Pflughaupt, die zwei Tischgruppen neben ihm saß und die immer etwas schläfrig in den Tag blinzelte. Dann schaute er zu ihrem Freund Sven, dem besten Sportler aus der Klasse. Sven war wie Niko dreizehn und ein netter Typ; hilfsbereit und meistens gut drauf. Nikos Blick schweifte zu den anderen. Nein, dachte er. Wen er auch anschaute: So etwas traute er keinem von ihnen zu.

Die Stimme des Lehrers kam mit einem Male bedrohlich nahe und Niko wunderte sich nicht darüber, dass er von Herrn Feiss angesprochen wurde.

„Na, Nikolaus Bastian, träumen wir mal wieder?"

Niko ärgerte sich über das vertraulich-ironische ,Wir' des Lehrers und schüttelte den Kopf.

„Wenn Sie mit träumen schlafen meinen, Herr Feiss, dann muss ich Sie leider enttäuschen", antwortete er in einem sehr höflichen Ton. „Wenn Sie aber meinen, dass ich über etwas Wichtiges nachgedacht habe, dann haben Sie mit Sicherheit Recht."

Die Klasse kicherte und Herr Feiss, der immer sehr schnell an die Grenzen seiner Toleranz geriet, blies sich heftig auf.

„Du wirst mir jetzt den Unterschied zwischen der vollständigen und der unvollständigen Metamorphose erklären", sagte er bissig. „Daran kann ich am besten erkennen, ob du geträumt oder geschlafen hast."

Niko zögerte. Ihm fiel keine vernünftige Antwort zu der gestellten Frage ein.

„Ich höre ...", sagte Herr Feiss fordernd.

Obwohl Eike seinem Freund Niko durch diverse Zeichen und leises Zurufen zu helfen versuchte, hob Niko ratlos die Schultern.

„Ich habe nicht aufgepasst, Herr Feiss", sagte er zunächst reumütig. Dann aber drängte es ihn doch noch einmal zu widersprechen. „Was nützt uns die ganze Metamorphose", fragte er provozierend, „wenn jeder jeden überfallen darf, nur weil er stärker ist? Überall wird geklaut, erpresst und geschlagen, und niemand tut etwas dagegen."

Mit dem, was Niko da in die Klasse schleuderte, wusste Herr Feiss nur wenig anzufangen. Verunsichert wandte er sich an die anderen Schüler. „Könnt ihr mir helfen? Wisst ihr vielleicht, was der Niko mit diesen Fragen erreichen will?"

Die Schüler und Schülerinnen aus der Klasse wussten das sehr wohl und reagierten dementsprechend. Sie meldeten sich plötzlich interessiert, riefen einfach in die Klasse und empörten sich über das Ausmaß an Gewalt, das der eine oder andere von ihnen schon einmal am eigenen Leib erfahren hatte.

„Meine kleine Schwester geht noch zur Grundschule", erzählte Kerstin. „Sie musste mehrere Monate lang ihr Milchgeld an zwei Jungen aus der vierten Klasse abgeben, sonst hätten sie sie verhauen."

Und Anna, die noch ziemlich neu in der Klasse war und aus Frankfurt kam, war selber schon mal Opfer eines Überfalls gewesen.

„Mir haben fremde Jugendliche einfach mein neues Fahrrad weggenommen. Sie haben mich geschubst, mich ausgelacht und sind dann einfach abgehauen. Es war ein sehr teures Rad. Ich hatte es zum Geburtstag bekommen."

„Es gibt richtige Banden, die so was tun", rief Sven. „Das ist eine Gemeinheit! Sie klauen und dann verkaufen sie die Sachen."

Herrn Feiss wurde es zu viel.

„Ruhe!", brüllte er. „Ich bitte mir jetzt Ruhe aus. Und Niko Bastian bekommt zur Strafe eine Eintragung ins Klassenbuch."

Nach dem Unterricht trafen sich Niko, Eike, Yvonne und Sibylle im *Vesuvio*, einer italienischen Eisdiele, die vor einigen Monaten in der Nähe der Schule eröffnet worden war. Weil es regnete, saßen sie drinnen, und weil es kalt war, tranken sie heißen Kakao.

„Wenn ich ehrlich sein soll", begann Sibylle, „dann glaube ich nicht daran, dass ich meine Jacke und das goldene Kettchen jemals wiederbekomme. Wenn man hört, was so alles passiert, da kann die Polizei doch gar nichts machen."

„Glaube ich auch", bestätigte Yvonne. „Kannste abschreiben. Die werden wegen deiner Jacke keine Sonderkommission einsetzen."

Eike trank einen Schluck von seinem Kakao. „Das heißt also, wir müssen selbst etwas unternehmen, oder?"

„Deswegen sind wir hier", stellte Niko fest. „Ich habe Billi versprochen, dass wir ihr helfen. Die Frage ist nur, wer hat eine gute Idee?"

„Man müsste sich in der Szene auskennen oder jemanden kennen, der sich auskennt", sagte Sibylle. „Immerhin hatte einer von ihnen ein Schwert auf dem Arm eintätowiert und darunter ein langes Wort stehen."

„Wenn wir das rauskriegen könnten", sagte Yvonne, „wären wir schon ein Stückchen weiter ..."

„Wir könnten uns bei der Polizei ...", nahm Sibylle noch einmal den Gedanken auf. Aber Niko fuhr ihr prompt dazwischen. „... das haben wir doch schon besprochen", sagte er.

Aber Sibylle gab nicht so ohne weiteres auf. „Ich meine nicht die Anzeige. Wir könnten uns erkundigen, wo solche Banden arbeiten, wo sie sich treffen und wo sie die geklauten Sachen verkaufen."

Niko fasste sich an den Kopf. „Wenn die Polizei das wüsste, Billi", sagte er, „dann würde die Bande doch nicht mehr frei rumlaufen, oder?"

Eike spielte mit dem Henkel seiner Tasse. Immer wieder drehte er ihn im Uhrzeigersinn um fünfundvierzig Grad weiter. „Ich treffe nachher Herrn Rotherkamp, der mich wegen der Scheidung meiner Eltern betreut. Der ist vom Jugendamt, der könnte uns vielleicht etwas erzählen."

„Prima Idee!" Yvonnes Augen leuchteten. „Und wenn Niko noch mit Micha spricht, dann ..."

„Warum mit Micha ...?", fragte Sibylle.

„Na, immerhin hat der mal Autos geklaut und verschoben. Irgendetwas wird der sicherlich wissen."

Niko nahm seine Tasse in die Hand und brachte mit leichten Drehbewegungen den letzten Rest seines Kakaos in Schwung. Dann setzte er die Tasse an die Lippen und trank sie in einem Zuge leer.

„Gut, das wäre ein Anfang", sagte er und stellte die Tasse zurück auf den Tisch. „Vielleicht springen wirklich ein paar gute Tips dabei raus."

Sibylle guckte zufrieden. „Es ist wirklich super, wie ihr zu mir haltet", sagte sie.

Dann gab sie Enrico ein Zeichen und bezahlte für alle die Getränke.

Jugendamt, Heinz Rotherkamp, Sozialarbeiter, stand auf dem Schild an der Tür, die Niko und Eike öffneten. Herr Rotherkamp war nicht überrascht. Er schaute von seinen Unterlagen auf und wies mit einer Hand auf zwei freie Stühle, die vor seinem Schreibtisch standen.

„Setzt euch", sagte er und räumte noch schnell einige Papiere in eine seiner Schubladen. Dann begrüßte er Eike und warf einen fragenden Blick auf Niko.

„Das ist mein Freund, Niko Bastian", erklärte Eike.

Herr Rotherkamp nickte und hielt Niko seine ausgestreckte Hand hin. „Habe schon viel von dir gehört. Ihr habt eine Spedition, stimmt's?"

„Es stimmt", sagte Niko. „Wir versenden Güter aller Art in alle Welt."

Herr Rotherkamp lächelte. „Trotzdem, ich muss dich bitten draußen zu warten. Was ich mit Eike besprechen will, ist ausschließlich persönlicher Natur und damit vertraulich."

Niko schaute betroffen seinen Freund an und Eike wandte sich an Herrn Rotherkamp. „Niko ist mein bester Freund", sagte er. „Er darf alles mitanhören und außerdem, wir haben noch ein anderes Problem. Nikos Schwester ist überfallen und bestohlen worden."

„Was habe ich damit zu tun?" Herr Rotherkamp machte ein neugieriges Gesicht.

„Zu tun haben Sie damit nichts, aber vielleicht können Sie uns helfen. Die Täter, das waren nämlich mehrere Jugendliche und wir würden gerne wissen, warum die sowas tun, wo man sie antreffen kann und was mit den gestohlenen Sachen geschieht."

Herr Rotherkamp zog ein wenig die Stirn kraus. „Ist das nicht Sache der Polizei?"

„Waren wir schon", sagte Niko. „Meine Eltern haben Anzeige erstattet. Aber wir glauben, dass es schneller geht, wenn wir selber etwas unternehmen."

„Ich kann euch da nur wenig helfen", bedauerte Herr Rotherkamp. „Es stimmt leider, dass die Täter immer jünger werden und die Überfälle immer dreister. Und immer häufiger kommt es zu Bandenbildungen. Hamburg ist groß. Die Zeitungen sind voll von entsprechenden Nachrichten. Was wisst ihr denn über die Täter? Habt ihr irgendwelche Anhaltspunkte?"

„Sie sind so alt wie wir", sagte Niko. „Einer von ihnen hatte ein eintätowiertes Schwert auf dem Arm. Mehr wissen wir nicht."

Herr Rotherkamp schüttelte den Kopf. „Sagt mir im Augenblick nichts. Aber beliebte Treffpunkte für irgendwelche Gruppen sind das *Café Greyhound*, der alte Busbahnhof, der Hafen natürlich, der Hauptbahnhof und das Jugendfreizeithaus in Altona. Vielleicht hört ihr euch da mal um. Aber seid bitte vorsichtig, da hat sich schon so mancher ein blaues Auge geholt."

Niko hatte sich einen Zettel genommen und die Namen und Anschriften aufgeschrieben. Dann aber wollte er noch wissen, warum Jugendliche so etwas tun.

„Die Motive der Jugendlichen, mit denen wir zu tun haben, sind sehr unterschiedlich", erklärte Herr Rotherkamp nach einigem Überlegen. „Manche der jungen Täter sind einfach nur übermütig. Sie suchen ein sehr fragwürdiges Abenteuer. Andere wollen sich bereichern oder sie brauchen Geld für Zigaretten und Drogen. Neuerdings gibt es noch eine dritte Gruppe. Ganz komisch. Sie empfindet es als ungerecht, dass ihre Eltern nicht genug Geld haben, um ihnen all die schönen Dinge zu kaufen, die sie ständig bei den anderen Kindern sehen, deren Eltern wohlhabend sind ..."

Niko brauste auf. „Das kann doch kein Grund dafür sein, andere zu überfallen und zu berauben ..."

„Da hast du Recht, Niko", sagte der Sozialarbeiter, „aber die sehen das eben anders. Sie sagen einfach: Was kann ich dafür, dass meine Eltern arbeitslos sind oder dass sie schlecht verdienen?" Der Sozialarbeiter dachte einen Moment nach. „Es ist ja auch wirklich keine Leistung wohlhabend geboren zu werden", sagte er dann. „Das erweckt Neid."

Niko spürte, dass an dem, was Herr Rotherkamp sagte, etwas Wahres, aber auch etwas Unwahres war. Er hatte das Bedürfnis Herrn Rotherkamp zu widersprechen, fand aber nicht die richtigen Worte.

„Ich muss nach Hause", sagte er überraschend.

Er stand auf, verabschiedete sich von dem Sozialarbeiter und sagte zu Eike, dass er am Abend noch einmal vorbeikommen würde.

„Endlich", sagte Sibylle zu Yvonne, als sie sah, dass Niko um die Ecke bog und auf das Speditionsgelände gefahren kam. Er hielt genau auf die beiden Mädchen zu und bremste scharf.

„Mann, habe ich mich beeilt!" Niko ächzte und erzählte kurz von dem Gespräch mit Herrn Rotherkamp. Dann fragte er nach Micha. „Habt ihr mit ihm gesprochen?"

„Klar", sagte Yvonne. „Er war im ersten Augenblick nicht gerade begeistert davon, dass wir ihn an seine Vergangenheit erinnerten."

„Kann ich verstehen." Niko lächelte. „Aber helfen muss er uns trotzdem. Immerhin geht es um eine teure Jacke und ein wertvolles Kettchen."

„... und um die Gerechtigkeit", sagte Yvonne. „Micha kennt eine Kneipe am Hafen. Da treffen sich so Typen, die schon mal krumme Sachen drehen. Sie spielen dort Karten und Billard oder sie flippern."

Niko warf Yvonne einen fragenden Blick zu. „Wie heißt denn der Schuppen?"

„Das ist das Problem", sagte Sibylle. „Der Name fiel ihm nicht mehr ein. Aber er würde die Kneipe wiederfinden. Er will in den nächsten Tagen einmal mit uns hinfahren."

„Gut", sagte Niko. „Egal, was wir tun. Wir sollten alle Orte, an denen es gefährlich werden könnte, gemeinsam aufsuchen."

„Finde ich auch", sagte Yvonne. „Aber heute haben wir keine Zeit mehr." Sie schaute auf die Uhr. „Wir müssen zum Training. Hast du Lust mitzugehen?"

Niko lehnte ab. „Ich muss mich um Skylla kümmern. Sie braucht dringend ein bisschen Auslauf."

Als die beiden Mädchen gegangen waren, holte Niko Skyllas Halsband und Leine. Dann ging er auf den Speditionshof und pfiff zweimal kräftig auf den Fingern. Skylla hörte sofort und kam aus der Werkstatt auf ihn zugelaufen. Niko streichelte ihr über den Kopf.

„Brav", sagte er, „so bist du ein lieber Hund."

Skylla schien ihn zu verstehen. Mit einer flüchtigen, schnellen Kopfbewegung erreichte sie seine Hand und leckte kurz darüber.

„Pfui ist das", sagte Niko, obwohl er wusste, dass das Lecken so eine Art Sympathieerklärung war, über die er sich eigentlich freuen sollte.

Niko führte Skylla rechts neben dem Fahrrad. Er radelte ein Stück an der Alster entlang bis zum Rattenloch, wo er ein wenig sehnsüchtig nach der Bisamratte Ottilie Ausschau hielt. Das *Abenteuer von den Autoknackern** fiel ihm ein und in was für eine gefährliche Situation sie sich damals begeben hatten. Vom Rattenloch aus fuhr er in Richtung Schule. Dann hatte er plötzlich eine Idee. Das *Café Greyhound*, überlegte er, von dem Herr Rotherkamp gesprochen hatte, lag doch gar nicht weit von hier. Wenn er die Alster überquerte und am Bahndamm in Richtung Eppendorf fuhr, musste er daran vorbeikommen.

Obwohl er vorher mit den Mädchen ausgemacht hatte niemals etwas allein zu unternehmen, konnte er sich nicht beherrschen. „Vorbeifahren kann ich ja mal", sagte er zu Skylla. „... und außerdem, wenn du dabei bist, dann bin ich ja nicht allein."

Das *Café Greyhound* war nicht zu übersehen. Es befand sich in einem alten Eckhaus, vierstöckig und bemalt mit zwei großen grauen Hunden, denen blutrote Zungen aus ihren Rachen heraushingen. Der eine Hund schien von links, der andere von rechts in Richtung Eingang zu springen. Vor dem *Greyhound* standen hölzerne Tische und Bänke, auf denen in sehr bunter und sehr unterschiedlicher Kleidung meist jüngere Leute saßen. Sie alle hatten Mo-

---

* Vier greifen ein, Bd. 1

torradhelme vor sich auf dem Tisch liegen. Nicht weit entfernt auf dem Bürgersteig standen die dazugehörigen Scooter. Sie waren auffallend lackiert, hatten jede Menge Chromteile und blitzten in der abendlichen Sonne.

Skylla fest an der Leine, radelte Niko langsam auf das Café zu. Die Leute, die dort beisammensaßen, wirkten friedlich und nahmen keinerlei Notiz von ihm. Niko radelte an ihnen vorbei und wendete in der nächsten Querstraße. Allzu oft durfte er diesen Vorgang nicht wiederholen. Ein Junge auf einem Fahrrad, mit einem großen schwarzen Hund an der Leine, fiel mit Sicherheit auf.

Niko stieß sich vom Bordstein ab und radelte abermals langsam auf das Café zu. Angestrengt schaute er in die Gesichter der Leute. Und dann? Was war das denn? Plötzlich trat er ins Leere. Ohne jeden Widerstand konnte er die Pedale durchtreten. Die Kette war abgesprungen und nun stand er, was er gar nicht gewollt hatte, genau vor dem *Café Greyhound*. Ausgerechnet! Mit Skylla an der Leine war es schwierig die Kette neu aufzulegen. Niko schaute sich um. Von den Tischen her kam ein Mann auf ihn zu: ein Koloss von einem Kerl. Er hatte langes, dunkles Haar, trug eine Windjacke, eine Cordhose und Lederstiefel. Unter dem offenem Hemd erkannte Niko eine große Tätowierung.

„Na, Probleme?"

Niko nickte. „Ist mir noch nie passiert", sagte er, „… ganz ehrlich."

„... und wenn", antwortete der Koloss. „Das kriegst du schon wieder hin. Einen schönen Hund hast du."

„Ist ein Weibchen", sagte Niko. „Eine Dobermannfrau. Sie heißt Skylla."

Der Koloss lachte. „Ich mag Hunde", sagte er. „Ich hatte mal einen Riesenschnauzer. Ob du es glaubst oder nicht: Wenn ich traurig war, war er auch traurig, und wenn ich glücklich war, dann war er es auch."

Der Koloss bückte sich und streichelte Skylla von der Schnauze her liebevoll über den Kopf.

Niko betrachtete den Mann mit der Tätowierung, der so vertraulich und selbstverständlich zu ihm hingekommen war und der so ruhige, freundliche Augen hatte.

„Meine Oma sagt immer: Wer die Menschen kennt, liebt die Tiere", sagte Niko.

„Du hast eine schlaue Oma", antwortete der Koloss. „Und nun lass mich mal dran, damit dein Drahtesel wieder flott wird ...!"

Der Koloss ging in die Hocke und griff mit seinen dicken Fingern geschickt zwischen das Schutzblech, den Rahmen und die Zahnräder. In Sekundenschnelle war das Fahrrad wieder fahrbereit.

Niko zeigte auf die Motorroller. „Welcher gehört Ihnen?", fragte er. „Es ist bestimmt der Schönste."

Der Koloss lächelte. „Meiner ist der Blaue mit der verchromten Schürze. Wenn du das nächste Mal hier vorbeikommst, drehen wir eine Runde zusammen."

„Super", sagte Niko. „Aber etwas würde ich gerne noch von Ihnen wissen ..."

„Ich heiße Berdy", unterbrach ihn der Koloss, „alle sagen du zu mir."

Niko war es nicht gewohnt fremde Erwachsene zu duzen. Aber er versuchte es. „Hör mal, Berdy", sagte er. „Du hast eine Tätowierung auf der Brust, was bedeutet sie?"

„Die ist schon alt, warum fragst du?"

„Weil ich jemanden suche, der ein Schwert auf dem Arm eintätowiert hat. Vielleicht ist es auch eine ganze Bande."

„Ein Schwert?"

„Und ein langes Wort. Ich weiß aber nicht, wie es heißt."

Berdy richtete sich zur vollen Größe auf. „Kann ich dir nicht helfen", sagte er. „Es gibt zu viele Leute, die sich tätowieren lassen, das ist im Augenblick total in."

Niko schaute Berdy dankbar an. „Und wie erreiche ich Sie, äh ... dich?"

„Hier im *Greyhound*", sagte der Riese. „Das ist mein zweites Zuhause, auch am Wochenende."

Kein übler Kerl, dieser Berdy, dachte Niko, als er zurück zum Speditionshof fuhr und Skylla von der Leine ließ. Ob sie wohl alle so freundlich und hilfsbereit waren, diese Scooterleute? Er schaute auf die Uhr. Es war schon spät. Auch auf dem Speditionsgelände war es ruhig. Die Trucks standen beladen für den nächsten Morgen bereit und die Lagerhallen und die Werkstatt waren verschlossen.

Niko stellte sein Fahrrad in die Garage und füllte Skyllas Trinkschale mit frischem Wasser auf. Dann ging er ins Haus. Die Verabredung mit Eike konnte er nicht mehr einhalten. Ob Eike sauer war?

Niko betrat die Wohnung. Niemand war da, auch Sibylle nicht. Auf dem Küchentisch stand ein Teller mit Butterbroten und an einer Vase lehnte ein Zettel.

Ihr Lieben,

wir sind im Theater und kommen erst gegen Mitternacht zurück. Lasst es euch schmecken, schlaft gut ...

Mama und Papa

Niko ließ den Zettel für Sibylle an der Vase stehen und holte sich aus dem Wohnzimmer das schnurlose Telefon. Dann nahm er eine Limo aus dem Kühlschrank und setzte sich zum Essen an den Tisch. Es war gar nicht so einfach eine Nummer zu wählen, wenn man gleichzeitig ein Schinkenbrot aß.

„Eike Masler, hallo ..."

„Hallo, Eike, ich habe es nicht mehr geschafft", sagte Niko. „Es ging nicht mehr. Es war einfach zu spät geworden."

„Habe ich gemerkt. Hätte sowieso keine Zeit gehabt."

„Was machst du denn?"

„Ich helfe meiner Mutter beim Packen. Sie zieht doch in zwei Wochen aus."

„Ach ja." Niko erinnerte sich daran, dass Eike ihm das schon erzählt hatte. „Du", sagte er dann. „Ich war beim *Café Greyhound*. Es ist irgendwie anders, als wir gedacht haben. Keine Rocker und so ..."

„Nicht?"

„Nein. Alles Rollerfahrer, Vespas und so."

„Und? Hast du was rausgekriegt?"

„Nicht direkt. Ich habe da einen Typen kennen gelernt, der Berdy heißt. Er ist tätowiert. Aber es ist kein Schwert und er ist auch kein Jugendlicher mehr, fast erwachsen. Er will sich mal für uns umhören."

„Kann man ihm trauen?"

Diese Frage überraschte Niko. Daran hatte er noch gar nicht gedacht.

„Ich glaube schon", sagte er und ärgerte sich ein wenig über seine Naivität.

„Triffst du ihn wieder?", fragte Eike.

„Sicher, aber wir haben uns nicht verabredet. Er ist immer im *Greyhound*, auch sonntags."

„Gut", sagte Eike. „Und was planen wir für morgen?"

„Ich schlage vor, dass wir uns den Hauptbahnhof vornehmen. Ich spreche noch mit Billi. Rufst du Yvonne an?"

„Aber immer doch", sagte Eike. „Also bis morgen."

Dann hängte Niko ein und ließ sich die Butterbrote gut schmecken.

3. Kapitel

Der ZOB, der Bahnhof und was alles passieren kann · Wer Kranich heißt, kann auch manchmal ein rettender Engel sein · Yvonne hat eine gute Idee

Sie trafen sich an der S-Bahn-Station und fuhren gemeinsam in die Stadt. Am zentralen Omnibusbahnhof, dem sogenannten ZOB, stiegen sie aus. Bis zum Hauptbahnhof waren es von dort aus nur noch wenige Minuten zu laufen. Obwohl sie schon häufiger mit ihren Eltern in der City gewesen waren, war der Eindruck für sie überwältigend: Vielstöckige Kaufhäuser mit herrlich dekorierten Schaufenstern, Versicherungs- und Bankgebäude mit glänzenden Fassaden, exklusive Geschäfte und unüberschaubare Straßenkreuzungen beeindruckten sie ebenso wie der tosende Lärm, den die vielen Autos verursachten.

Als sie vor dem Haupteingang des Bahnhofs ankamen, blieben sie stehen und staunten über die vielen Menschen, die schier sinnlos durcheinander liefen, die ihre Koffer und Taschen schleppten, die sich freudig in die Arme fielen oder traurig voneinander Abschied nahmen.

„Wenn wir uns hier verlieren, sehe ich schwarz", sagte Sibylle skeptisch.

„Kann schon sein, aber andererseits", entgegnete Yvonne, „wäre es Quatsch, zusammenzubleiben. Der Bahnhof ist viel zu groß und zu unübersichtlich."

„Genau." Eike schaute die Mädchen an. „Ich schlage vor, dass wir uns trennen. Ihr übernehmt den Bahnhofsvorplatz. Hier laufen allerhand Leute rum, denen man mal auf die Finger schauen sollte."

„Und ihr?", fragte Sibylle.

Eike zeigte auf mehrere Treppen, die unter dem Bahnhofsvorplatz hindurch zu den U-Bahn-Stationen führten.

„Ich nehme mir die Unterführungen vor. Vielleicht wird da illegal mit Jacken gehandelt."

„Und ich?", fragte Niko.

„Du nimmst den Nordeingang. Das ist die hintere Seite vom Bahnhof."

Niko war einverstanden, Sibylle aber nicht. Sie machte ein langes Gesicht.

„Wir hatten doch gesagt, dass niemand allein geht. Wird denn hier alles anders gemacht, als wir es verabredet haben?"

„Natürlich nicht", versuchte Niko einzulenken. „Aber das, was wir jetzt vorhaben, ist nun wirklich nicht gefährlich, oder?"

„Sehe ich genauso", sagte Eike. „Zusammenbleiben, das bringt nichts. Aber wir sollten einen Treffpunkt ausmachen."

36

Niko zuckte mit den Schultern und schaute zu den Mädchen. „Um 19.00 Uhr im *Vesuvio*?"

„Finde ich blöd", maulte Sibylle und Yvonne sagte einfach: „Ist mir egal."

Die beiden Mädchen schauten den Jungen nach, die noch ein Stück nebeneinander her liefen, bevor sie sich an den Unterführungen trennten.

„Und nun?", fragte Yvonne etwas spöttisch. „Wen verdächtigen wir zuerst?"

Sibylle musste lachen. „In was für einem Film bist du? Meinst du, wir können hier so mir nichts dir nichts einen Verbrecher fangen?"

Yvonne rümpfte die Nase. „Ich denke, es waren Jungs in unserem Alter. Irgendwie stört mich dabei das Wort: Verbrecher."

Sibylle antwortete nicht sofort. „Hast eigentlich Recht", sagte sie nachdenklich. „Aber vielleicht ist das Alter weniger wichtig, als das, was jemand tut."

Die beiden Mädchen schlenderten gemächlich an der Bahnhofsgaststätte und an den Fahrkartenautomaten vorbei.

„So viele Menschen habe ich schon lange nicht mehr auf einem Haufen gesehen", sagte Yvonne und schaute zu den Straßenbahnen, die im Minutentakt vor dem Bahnhof hielten und immer wieder neue Menschen aus ihren hohlen Bäuchen entließen. An den Taxiständen ging es ähnlich zu. Es war ein ständiges Kommen und Gehen.

Am Zeitungskiosk standen Bänke, an denen

sich ältere Frauen und Männer aufhielten. Sie tranken am helllichten Tage Bier. Sie wirkten ungepflegt. Sie hatten schmierige Haare, trugen schmutzige Kleidung und hatten verschiedene Koffer, Beutel und Kartons bei sich.

„Was meinst du?", fragte Yvonne.

Sibylle schaute sich die Leute genau an und schüttelte den Kopf. „Nein", sagte sie. „Vom Alter her passen die nicht, und auch nicht vom Aussehen."

„Was machen die hier?"

„Weiß nicht", sagte Sibylle. „Vielleicht haben sie kein Zuhause. Irgendwie tun sie mir Leid."

Unter einem Vordach der Gepäckaufbewahrung sahen Sibylle und Yvonne zwei junge Kerle hocken. Sie rauchten und sprachen miteinander und schienen den Bahnhofsvorplatz zu beobachten. Als sich die Mädchen näherten, standen sie auf und zogen sich ihre Kleidung glatt.

„Na, verlaufen?", fragte der eine. Er wirkte völlig durchgestylt, war hager, hatte eine schmale Nase, buschige Augenbrauen und ließ seinen Zigarettenstummel lässig auf den Bürgersteig fallen. Auch der Zweite sah gepflegt aus. Er war kleiner, wirkte drahtig und mit seinen hochgezogenen Mundwinkeln eher sympathisch.

„Verlaufen?", fragte Yvonne gedehnt zurück. „Nee, wir suchen jemanden."

Der hagere, durchgestylte Typ lachte frech. „Ihr sucht uns und habt uns schon gefunden."

Er legte Yvonne vertraulich eine Hand auf den Arm. „Kommt, wir gehen etwas trinken. Wir kennen hier ein hübsches Bistro."

Auch der zweite Typ wurde handgreiflich. Mit einer freundlichen, einladenden Geste nahm er Sibylles Hand und versuchte sie fortzuziehen.

Sibylle empörte sich. „Was soll das denn?"

Der durchgestylte Typ mischte sich ein. „Seid nicht so zickig", grollte er. „Ihr wollt in der Stadt etwas erleben, das sieht man euch doch an."

Aber so leicht gaben die Mädchen nicht nach. Sibylle, der noch der Schreck aus dem Park in den Knochen steckte, riss sich mit einem kräftigen Ruck los und Yvonne drohte: „Wenn ihr mich nicht loslasst, schreie ich."

Der durchgestylte Typ ließ von Yvonne ab. „War nicht so gemeint", sagte er schmeichelnd. „Wir wollen doch bloß ein Eis mit euch essen. Den Gefallen könntet ihr uns eigentlich tun, oder?"

Yvonne und Sibylle merkten, dass keine unmittelbare Gefahr mehr bestand und dass das zwei Typen waren, die vielleicht etwas wussten und die sie vielleicht ein wenig aushorchen konnten.

„Wir haben nichts gegen euch persönlich", sagte Sibylle. „Nur, ich bin kürzlich überfallen worden, da hat man dann schon ein bisschen Angst."

„Angst? Das verstehen wir", sagte der Kleinere mit einem verbindlichen Lächeln. „Da

sind wir genau richtig. Wir können euch be-
schützen. Wir kennen uns hier aus und wir haben Freunde. Wollt ihr die kennen lernen?"

Yvonne neigte ihren Kopf zu Sibylle. „Mann,
sind das miese Typen", flüsterte sie. „Die lassen nicht locker."

Sibylle nickte. „Wir suchen Leute, bei denen
man billig schöne Sachen kaufen kann", sagte
sie. „Jacken zum Beispiel. Wir haben gehört,
dass es sowas am Bahnhof gibt."

Statt eine Antwort zu geben blickte der
Hagere plötzlich unruhig in Richtung Zeitungskiosk.

„Scheiße", zischte er und zeigte auf zwei
sich nähernde Männer, die grüne Uniformen
trugen und wie Polizisten aussahen. Sein
Freund nickte. Und dann hatten sie es mit einem Male sehr eilig.

Sibylle und Yvonne sahen die beiden unifor-
mierten Männer auf sich zukommen und wun-
derten sich über das Verhalten der beiden mie-
sen Typen. Dann wurden sie angesprochen.

„Guten Tag, Bundesgrenzschutz", sagte einer der beiden Beamten. „Was haben die jungen Damen denn hier so alleine vor? Macht ihr
eine Reise?"

Sibylle und Yvonne blickten sich an, schüttelten die Köpfe und wussten im Augenblick
nicht, was sie antworten sollten.

„Wie alt seid ihr denn?"

„Dreizehn."

„Ihr habt jemanden zum Zug gebracht?"

„Nein, auch nicht."

Der Beamte, der die Fragen stellte, hatte einen eisgrauen Bart und trug drei Sterne auf seiner Schulter. Er seufzte ein wenig.

„Ihr seid hier, um jemanden abzuholen", sagte er dann. „Stimmt's?"

„Nein, auch das stimmt nicht", antwortete Sibylle schließlich, als der Beamte auf einer Antwort bestand.

„Gut", mischte sich der andere Beamte ein. „Aber Ausweise habt ihr sicher bei euch?"

Den Mädchen wurde schwummerig vor Augen. Mit allem hatten sie gerechnet, aber nicht, dass sie in solche Schwierigkeiten gerieten.

„Wir haben keine Ausweise", sagte Sibylle, „und wir haben auch nichts angestellt. Dürfen wir jetzt weiter?"

Die Beamten schüttelten ihre Köpfe. „Wenn ihr euch nicht ausweisen könnt, dann müsst ihr uns auf unsere Dienststelle begleiten."

„Warum das denn?" Yvonne schaute die Polizisten fragend an. „Wir haben doch nichts gemacht."

Der Beamte blieb gelassen. „Wir werden eure Personalien überprüfen. Und das tun wir nicht, weil wir gegen euch sind, sondern zu eurem Schutz. Hier am Bahnhof treiben sich nämlich Leute rum, die für junge Mädchen sehr gefährlich werden können. Es gibt richtige Schlepper, die sich an unschuldige Mädchen ranmachen. Und die beiden Kerle, mit denen wir euch vorhin gesehen haben, gehören auch dazu. ... Also, gehen wir!"

Was der Beamte gesagt hatte, ließ keinen

41

Widerspruch zu. Sibylle und Yvonne mussten mit. Schritt für Schritt bahnten sie sich einen Weg durch die Reisenden.

„Mann, ist das peinlich", sagte Yvonne. „Wie kommen wir da bloß wieder raus? Meine Eltern wissen jedenfalls nicht, dass ich in die Stadt gefahren bin."

Sibylle blieb plötzlich stehen, zeigte auf einen untersetzten, kräftigen Mann und legte ihre Hände an den Mund. „Herr Kranich! Herr Kranich!", rief sie mehrmals. „Herr Kranich ..., bitte warten Sie doch einmal!"

Auch Yvonne und die Beamten hielten inne und sahen einen älteren Herrn herbeieilen, der atemlos vor ihnen stehen blieb.

„Sibylle! Yvonne! Was um Himmels willen, was macht ihr denn hier auf dem Bahnhof?"

„Wir haben nur jemanden gesucht, Herr Kranich", sagte Sibylle. „Und jetzt sollen wir mit auf das Revier."

Herr Kranich schaute die beiden Grenzpolizisten an.

„Mein Name ist Kranich, Rudolf Kranich", stellte er sich vor. „Ich bin der Werkstattleiter der Spedition Bastian und Bastian." Er fasste in die Brusttasche seiner Jacke und holte ein Mäppchen hervor, dem er einen Ausweis entnahm. „Und das dort", er zeigte auf Sibylle, „ist Sibylle Bastian, die Tochter meines Chefs und meiner Chefin. Und das andere Mädchen ist Yvonne, Sibylles Freundin. Dafür lege ich meine Hand ins Feuer."

Herr Kranich übergab seinen Ausweis an den

Beamten mit dem eisgrauen Bart. Der betrachtete Herrn Kranich genau, überprüfte dann den Ausweis und besonders das Passbild.

„Ist in Ordnung", stellte er fest und reichte den Ausweis zurück. Und zu seinem Kollegen sagte er: „Die Identität der Mädchen ist damit festgestellt."

Sibylle freute sich. „Können wir jetzt gehen?"

„Im Prinzip schon. Aber ihr fahrt sofort nach Hause. Der Bahnhof ist kein Spielplatz. Und lasst euch hier nicht wieder blicken. Verstanden?"

Die Mädchen nickten. „Verstanden", sagten sie wie aus einem Munde und verabschiedeten sich.

Herr Kranich begleitete Sibylle und Yvonne noch bis zur S-Bahn-Station. „Macht mir bloß keine Dummheiten", bat er sie. „Ihr könnt nicht davon ausgehen, dass ich immer angeflogen komme, auch wenn ich Kranich heiße."

Sibylle und Yvonne lachten.

„Trotzdem, Herr Kranich. Vielen Dank", sagte Sibylle. „Vielleicht können wir Ihnen auch einmal helfen."

Mit der S-Bahn fuhren die beiden Mädchen zurück bis Sasel. Dort stiegen sie aus. Genauer hätten sie es gar nicht planen können. Als sie vor dem *Vesuvio* standen, war es genau sieben Uhr. Niko und Eike waren schon da. Sie saßen gemütlich in einer Ecke vor einem gemischten Eis mit Sahne.

„Mann, war das beknackt", sprudelte es aus Yvonne heraus. „Die haben uns doch beinahe verhaftet."

Die beiden Jungen staunten nicht schlecht.

„Stimmt", bestätigte Sibylle. „Wenn Herr Kranich nicht gekommen wäre, dann säßen wir vielleicht jetzt noch auf der Polizeiwache."

Eike rückte ein wenig zur Seite. „Hockt euch erst mal hierher", sagte er. „Ihr seid ja völlig aufgelöst."

Von der Eistheke her schaute der schwarzhaarige Faustino herüber. „Was bekommen die jungen Damen?", fragte er in bestem Deutsch.

„Cola!", rief Sibylle.

Yvonne bestellte sich einen Schokoladenbecher.

Dann tauschten sie ihre Erlebnisse aus. Sibylle und Yvonne berichteten von den beiden Typen, die sich an sie rangemacht hatten und die eventuell etwas wussten. Eike erzählte von den Unterführungen, in denen er sich überhaupt nicht wohl gefühlt hatte.

„Nur Durchgangsverkehr", sagte er, „keine Leute, die sich lange aufgehalten haben. Und gezogen hat es da wie Hechtsuppe."

„Und du Niko?", fragte Sibylle. „Wie sah es bei dir aus?"

„Auch nichts. Ich glaube, ihr wart am erfolgreichsten. Eine Gruppe Punker war da. Die hingen da die ganze Zeit nur rum. Sie haben gequatscht und mit ihren Hunden gespielt. Zwei von ihnen hatten gezähmte Ratten dabei. Aber sonst war nichts Auffälliges." Niko überlegte einen Augenblick. „Wenn das alles einen Sinn gehabt haben soll, dann müsst ihr nochmal ran. Ihr müsst die zwei Kerle noch einmal treffen."

„Geht leider nicht." Sibylle rümpfte beim Sprechen die Nase. „Was wir euch von den Grenzschutzbeamten erzählt haben, stimmt wirklich. Wir sind von ihnen verwarnt worden und sollen uns ohne Begleitung nicht mehr am Bahnhof blicken lassen."

„Mist", sagte Niko. „Dann ruhen unsere ganzen Hoffnungen im Augenblick auf Berdy. Vielleicht hat er was über das tätowierte Schwert rausbekommen."

Plötzlich richtete Yvonne sich gerade auf. „Nicht nur auf Berdy", sagte sie voller Eifer. „Wenn das Tätowieren so in Mode ist, dann muss es doch auch Leute geben, die das machen, ich meine beruflich machen ..."

„Richtig!", überlegte Eike, der am schnellsten begriff, was Yvonne meinte. „Ein Tätowierer, der mehreren Leuten Schwerter mit einem Wort darunter eintätowiert, der vergisst doch sowas nicht."

„Damit sind unsere Aufgaben für die nächsten Tage eigentlich klar", sagte Eike. Er fasste noch einmal zusammen: „Wir müssen zu Berdy und seinen Scooterleuten Kontakt halten. Wir müssen mit Micha die Kneipe am Hafen suchen. Außerdem müssen wir rauskriegen, wo solche Tätowierer arbeiten. Wenn wir Glück haben, reicht das vielleicht, um die verdammte Bande kaltzustellen."

4. Kapitel

Die Scooterfahrer sind eigentlich ganz gute Kumpel · Was so in den Zeitungen steht · Ein Nachmittag am Hafen · Die Seespinne und was sich da vor dem Eingang alles abspielt

„Komm doch mit, bitte!" Sibylle schaute ihren Bruder erwartungsvoll an. „Stell dir vor, Yvonne und ich gewinnen eine der Vorentscheidungen. Das wäre doch ein Riesending."

Niko fasste nach dem Salzstreuer und ließ etwas Salz auf sein Frühstücksei rieseln.

„Keine Zeit, Billi. Du weißt, warum. Eike und ich wollen um elf Uhr im *Greyhound* sein."

„Und warum gerade am Sonntag?"

„Weil sie sonntags immer da sind. Hat Berdy doch gesagt."

Sibylle machte ein enttäuschtes Gesicht. „Ich finde es toll, wie ihr euch für mich einsetzt. Aber nur noch Verbrecherjagd, das finde ich auch doof."

Frau Bastian betrat mit frisch gewaschenen Haaren unerwartet die Küche und setzte sich zu ihren Kindern.

„Verbrecherjagd?", fragte sie. „Habe ich das eben richtig verstanden? Verbrecherjagd?"

Sybille lachte. „Quatsch, Mama. Wir hören uns nur ein bisschen um. Es ist wegen der Jacke. Ich möchte sie unbedingt wiederhaben."

Frau Bastian ließ sich zu einer wegwerfenden Handbewegung hinreißen. „Die Jacke ist futsch", sagte sie. „Am Montag oder Dienstag fahren wir nach Hamburg und kaufen eine neue. Ist das in Ordnung?"

„Ja, Mamaaa ...", antwortete Sibylle mit schleppender Stimme.

„Ja, Mamaaa ...? Das hört sich nicht gerade erfreut an. Was ist daran falsch, wenn wir eine neue Jacke kaufen?"

„Nichts. Ich freue mich ja auch." Sibylle versuchte einen etwas freundlicheren Tonfall. „Dann habe ich eine neue Jacke, Mama. Aber das Kettchen ..."

„Welches Kettchen?"

Sibylle legte erschrocken eine Hand vor ihre Lippen und nach einigem Zögern sagte sie: „Oma hat mir ein goldenes Kettchen geschenkt. Es war vom Opa ..."

Frau Bastian verstand. „Und warum wissen Papa und ich nichts davon?"

„Zuerst hatte ich vergessen es zu erzählen, und dann wollte ich nicht noch alles viel schlimmer machen."

Frau Bastian fuhr ihrer Tochter mit einer leichten Handbewegung über die Haare.

„Tja Billi", sagte sie. „Ein Unglück kommt selten allein. Und was habt ihr heute vor?"

„Ich treffe mich mit Eike", sagte Niko.

„Und ich fahre mit Yvonne nach Geesthacht zu unserem Wettkampf. Kommst du mit, oder Papa?"

„Das nächste Mal", bedauerte Frau Bastian. „Irgendwann klappt es bestimmt."

Niko schaute auf die Uhr und stellte fest, dass er noch etwas Zeit hatte. Lohnte es sich wirklich, um Sibylles Recht zu kämpfen? Manchmal war er sich nicht ganz sicher. Dann aber munterte er sich auf. „Aber immer doch", sagte er zu sich selbst und machte sich auf den Weg in den Keller. Im Keller roch es säuerlich. Niko wischte sich mit dem Finger über die Nase und griff nach einem der dreibeinigen Schemel, die an der Wand standen. Dann setzte er sich an den alten, verstaubten Schreibtisch, der seit Jahren unbenutzt in der Ecke stand. Nikos Vater hatte mehrere Jahrgänge der verschiedensten Illustrierten gesammelt, aus denen er sich, wenn er mal Zeit haben würde, einige wichtige Artikel und Aufsätze über Musik und Kunst herausschneiden wollte. Niko nahm sich eines der verschnürten Bündel, legte es auf den Tisch und öffnete es. Im Gegensatz zu seinem Vater interessierte ihn nicht die Kultur. Er suchte etwas ganz anderes. Fast in jedem Paket waren einige Zeitschriften, die sich mit Jugendlichen und jungen Erwachsenen beschäftigten, die nicht mit der Gesellschaft, sondern gegen sie lebten. Es ging um gestohlene Autos, um illegale Wettrennen, um Vandalismus, um Gewalt, um Rauschgift, um Einbruch und um Erpressung. Das alles wurde von Einzeltätern genauso ausgeübt wie von kleineren und größeren Banden. Niko vertiefte sich in den einen oder anderen Text. Fast ausschließlich lebten diese Jugendlichen in den Großstädten, zum Teil auf der Straße, ohne Familie. Sie trieben sich nachts herum, schliefen in Kellern, unter Brücken, in Neubauten, in U-Bahn-Schächten und, wenn es nicht zu kalt war, einfach auf den Bänken in den Parks. Es waren Jugendliche aus zerrütteten Ehen, aus Heimen, aber auch aus sogenannten guten Elternhäusern. Es waren Deutsche und Ausländer, Dumme und Schlaue, Männer und Frauen.

Junge Menschen, vom Schicksal geschlagen! So lautete eine Überschrift und eine andere: *Jugendliche als Abfall unserer Gesellschaft.*

Die Zeit verging Niko wie im Fluge. Sehr nachdenklich legte er nach über einer Stunde die letzte Zeitung des ersten Bündels aus der Hand. Dann verließ er den Keller, rief Skylla und radelte auf dem kürzesten Weg zu Eike.

Wie vereinbart klingelte Niko einmal lang und zweimal kurz. Dann drückte er die Stoppuhrtaste. Immerhin, es ging dabei um eine große Cola, die Niko bekam, wenn Eike nicht innerhalb von drei Minuten unten war. Gespannt verfolgte Niko den Sekundenzeiger seiner Armbanduhr.

Eike war mal wieder sehr schnell. Mit seiner locker über die Schulter gehängten Lederjacke und seinem Fotoapparat in der Hand öffnete Eike nach weniger als zwei Minuten die Tür.

„Neuer Rekord", sagte Niko anerkennend und hielt seinem Freund die Hand hin. „Gib mir fünf!"

Eike holte aus und kräftig klatschten ihre beiden Handflächen aneinander. Eike holte sein Fahrrad aus dem Keller, dann fuhren sie los; Niko mit dem Hund vorne weg und Eike hinterher, immer in Richtung *Café Greyhound*.

Am Sonntagvormittag war die Stadt nicht sehr belebt. Stückchenweise konnten die beiden Jungen sogar auf den Radwegen nebeneinander herfahren und sich unterhalten. Niko erzählte von den Zeitungsartikeln und davon, dass er für manchen der Jugendlichen sogar ein gewisses Verständnis hatte. „Wenn man mal liest, in was für familiären Verhältnissen die aufwachsen", sagte er, „da leben wir im siebten Himmel."

Das Thema Familie gefiel Eike nicht. „Hör mir auf mit der Familie", sagte er. „Du siehst ja, was bei mir los ist."

Niko biss sich auf die Lippen. Zu Eike so etwas zu sagen, wo dessen Eltern sich doch gerade trennten, das war schon total daneben. Etwas verlegen schaute er auf die Hündin, die stark hechelnd, aber immer noch kraftvoll neben ihm herlief.

„Hinter der nächsten S-Bahn-Überführung ist es schon", rief Niko. „Dann sind wir da!"

Bei so einem schönen Wetter wie heute hatte der Wirt vom *Greyhound* natürlich die Tische und Bänke auf den Bürgersteig gestellt. Die Scooterfahrer saßen draußen zusammen und fachsimpelten über ihre Maschinen. Je älter und gepflegter ein Roller war, desto höher war auch das Ansehen seines Besitzers. Original musste es vor allem sein, das war wichtig. Ein originales Ersatzteil oder eine originale Sitzbank, fachmännisch repariert, irgendwo aufgetrieben, mit originalen Schrauben.

Als Niko mit Eike und Skylla ankam, verstummten die Gespräche für einen Augenblick. Berdy winkte kurz und deutete damit an, dass er Niko wiedererkannte.

„Ihr könnt euch zu uns setzen", sagte er und schob mit seinen mächtigen Händen einen seiner Freunde einfach ein Stück zur Seite.

„Hallo!", grüßten Niko und Eike und setzten sich in die ihnen angebotene Lücke auf der Bank. Berdy machte sich sofort über Skylla her, die er minutenlang liebkoste und streichelte.

„Ihr kommt, als wenn ihr es gerochen hättet", sagte ein älterer Scooter. Er hatte wirres Haar, das in langen, unordentlichen Strähnen an seinem Kopf vorbei bis zu den Schultern hinunterfiel. „Wir haben heute Morgen eine Tour nach Itzehoe gemacht und Pilze gesammelt. Der Maxe macht sie uns gerade fertig. Wollt ihr mitessen?"

„Pilze?", fragte Eike und zog die Mundwinkel kritisch nach unten. „Selbst gesammelte Pilze?"

Der Scooterfahrer grinste und schaute zu einer jungen Frau, die sich vom Kopfende des Tisches her in das Gespräch einmischte. „Ich traue ihm auch nicht", sagte sie spöttisch in einem Ton, der ihn nicht zu verletzen schien. „Aber er war einmal Lehrer. Und Lehrer wissen ja immer alles."

„Lehrer?", fragte Niko erstaunt. Der da vor ihm saß, sah nicht wie ein Lehrer aus.

„War nach zwanzig Jahren nicht mehr mein Job", sagte der ehemalige Lehrer gelassen. „Zu stressig. Habe aufgehört. An den Schulen weiß keiner mehr so richtig, wo es lang geht, aber das ist Schnee von gestern."

Der Wirt kam mit einer riesigen, noch sehr heißen Eisenpfanne, in der jede Menge Pilze brutzelten.

„In guter Butter", sagte er, „wie gewünscht, mit Ei und viel Petersilie."

Eine Bedienung brachte Teller und Besteck. Ruckzuck wurde gegessen. Dazu gab es Kaffee und Sprudelwasser.

„Wer sind denn die beiden?", fragte einer der Scooterfreunde, der als Einziger dunkle Lederkleidung trug. „Oder ist das ein Geheimnis?"

Berdy fühlte sich angesprochen. „Nee, das ist kein Geheimnis, aber reicht es, wenn ich dir sage, dass das meine Freunde sind?"

„Eigentlich nicht", konterte der andere. „Ich möchte schon wissen, mit wem ich meine Pilze esse."

„... oder mit wem du gemeinsam im Krankenhaus liegst, falls wir versehentlich einen Knollenblätterpilz eingesammelt haben", scherzte der ehemalige Lehrer. Die anderen Scooterfahrer lachten.

Berdy nickte freundlich und wandte sich an Niko und Eike. „Ich glaube, ihr müsst euch mal kurz vorstellen."

Niko ließ sich nicht lange bitten. „Wir sind Niko und Eike. Wir wohnen hier in Hamburg, etwas außerhalb. Meine Schwester ist vor einigen Tagen im Poppenbütteler Park von einigen Typen überfallen worden."

„Und was geht uns das an?", fragte der mit der Lederkleidung.

Niko zuckte mit den Achseln. „Weiß ich auch nicht genau. Aber mindestens einer von ihnen war tätowiert. Und Berdy wollte sich mal umhören, ob es irgendwo Leute gibt, die ein Schwert als Tattoo auf dem Arm tragen und darunter ein Wort."

„Was für ein Wort?"

„Kennen wir nicht. Es ist ein längeres Wort."

Die Scooterfahrer schwiegen einen Augenblick und ein jüngerer Mann mit einer bunten Windjacke guckte böse.

„Ihr haltet uns also für Leute, die mit solchen Typen zu tun haben?"

Plötzlich war es ganz ruhig am Tisch. Niko und Eike spürten, dass sich alle Blicke auf sie richteten. Skylla stand auf und knurrte. Niko schaute zu Eike. Eike schwieg. Berdy schob sich ein letztes Stück Pilz in den Mund, schluckte und schaute den an, der diese Frage gestellt hatte.

„Du hast doch einen Knall, Atze!", donnerte er mit lauter Stimme. Dann wendete er sich an alle anderen. „Hört mal!", sagte er. „Meine

Tätowierung habe ich in Farmsen machen lassen, beim Krims-Krams-Kuttel. In Altona gibt es auch so einen und auf der Reeperbahn natürlich auch. Wer kennt noch andere? Oder weiß von euch jemand etwas über Schwerter und solchen Unsinn?"

Berdy schaute gespannt in die Runde.

„Wenn es wirklich Jugendliche sind", entgegnete Atze, der irgendwie eingesehen hatte, dass seine Fragen vorhin albern gewesen waren, „dann kommt doch höchstens der Schmieri aus Eppendorf in Frage. Der ist am billigsten. Und außerdem macht der das zu Hause."

„Ist doch schon etwas, Atze", sagte Berdy anerkennend. „Ruf ihn an und erkundige dich, ob er etwas von Schwertern weiß, ich glaube nämlich nicht, dass er unseren beiden Freunden irgendeine Auskunft geben würde ..."

Ohne weiteren Widerspruch ging Atze in den *Greyhound* und kam schon nach wenigen Minuten wieder zurück.

„Volltreffer", sagte er grinsend. „Schmieri hat in der letzten Zeit mehrmals Schwerter tätowiert. Es sind ein paar Leute, sie nennen sich ‚*die Störtebeker*' und treffen sich in so einem Szenelokal am Hafen. Es heißt: *Seespinne.*"

„Störtebeker?" Niko riss ungläubig die Augen auf. „Störtebeker, nach dem Klaus Störtebeker, den sie geköpft haben?"

„Nach wem denn sonst", sagte der Lehrer. „Es gibt nur einen über die Grenzen hinaus bekannten Störtebeker, und das ist der aus unserem schönen Hamburg."

Die Scooterfahrer lächelten überlegen. Skylla fing an zu bellen und Berdy reichte den Jungen seine mächtige Pranke.

„Scooterfahrer sind Menschen- und Naturfreunde", sagte er, und bevor Niko und Eike gingen, griff er der Hündin noch einmal ausgiebig in das schwarze Fell.

„Aufregend", sagte Niko zu Eike, als sie mit roten Köpfen und abgehetzt im Bus saßen und zum Hafen fuhren. Sie hatten Skylla zurück zur Spedition gebracht und waren nun sehr gespannt, um was für eine Art Lokal es sich bei der sogenannten *Seespinne* handelte. Vielleicht entdeckten sie etwas, was ihnen bei ihren Nachforschungen weiterhelfen würde. Der Bus bremste scharf. Niko hielt sich ein wenig an Eike fest und Eike drückte sich automatisch tiefer in die Ecke seines Sitzes.

„Deine Eltern waren doch bei der Polizei", sagte Eike plötzlich. „Was haben die denn gesagt?"

„Nicht viel. Nur, dass sie sich kümmern wollen."

„Und was bedeutet das?"

„Weiß nicht. Wir dürfen nicht erwarten, dass die mit einer Sondereinheit von hundert Mann losziehen, wie bei einem Schwerverbrechen."

„Schon klar. Aber was tun sie wirklich?"

Niko zuckte mit den Achseln, weil ihm nichts einfiel. „Ich glaube, wir sind da", sagte er. „Nächste Station sind die Landungsbrücken. Da müssen wir aussteigen."

Der Bus hielt, die Türen öffneten sich. Niko und Eike betraten die Straße. Hafenluft stieg ihnen in die Nase, eine muffig-faulige Mischung aus dem brackigen Wasser der Elbe und dem strengen Geruch von Fisch, Salz, Kaffee und Abfall.

„Super", sagte Eike und zeigte auf eines der mächtigen Hochseeschiffe, das an der Kaimauer festgemacht hatte. „Vielleicht werde ich mal Kapitän", erklärte er.

Einen Augenblick stellten sich die beiden Freunde an das Eisengeländer, schauten runter in den Hafen und überließen sich ihren Träumen. Ein paar Möwen flogen schreiend hinter irgendwelchen Schiffen her und kleine, mit Touristen vollbesetzte Barkassen liefen aus zu einer Hafenrundfahrt. Wolken, weiß und haufig, spiegelten sich im Wasser und von fern erklang das dröhnende Tuten eines Ozeanriesen, der von drei kleinen Schleppern die Elbe hinuntergezogen wurde.

„An die Arbeit!", mahnte Eike. „Jetzt gehen wir zur *Seespinne.*"

Aber das war leichter gesagt als getan. Die *Seespinne* lag ziemlich versteckt und es dauerte eine ganze Weile, bis sie sie gefunden hatten. Eike wollte sofort hinein, aber Niko hielt ihn zurück.

„Erstens", sagte er, „sieht mir das Ding verdammt geschlossen aus und zweitens sollten wir die ganze Angelegenheit zunächst einmal ein wenig beobachten. Manchmal ergeben sich bestimmte Sachen von ganz allein."

Eike nickte. „O.K.", sagte er, „dann schauen wir uns den Schuppen zuerst einmal von außen an."

Die *Seespinne* sah unscheinbar aus. Ein zweistöckiges altes Gebäude war es, in dem vielleicht früher einmal Fischer mit ihren Familien gewohnt hatten. Wie untergehakt stand es zwischen größeren Häusern, in denen Kontore und Büros untergebracht waren.

„Na? Was meinst du?", fragte Niko.

„Macht keinen Vertrauen erweckenden Eindruck." Eike setzte eine nachdenkliche Miene auf. „Außerdem hast du Recht. Sieht ziemlich geschlossen aus."

Sie gingen, als interessierte sie das Haus gar nicht, an der Kaimauer entlang, spuckten in hohem Bogen in das vorbeifließende Wasser und schauten dann durch die geschlossenen Fenster. Erkennen konnten sie nichts. Im Fenster lag ein kleines Schild aus Aluminium. Darauf standen die Öffnungszeiten und ein Name. *Inhaber, Herrmann Spix.*

„Herrmann Spix", sagte Niko. „Komischer Name. Guck mal, ob die Tür offen ist!"

Eike trat in die schmale Nische, die zur Tür führte. Er zog. Nichts. Die Tür war verschlossen.

„Und jetzt?"

„Um fünf machen die auf", sagte Niko. „Jetzt ist es vier."

„Dann spazieren wir noch ein bisschen im Hafen herum und rufen Micha an. Vielleicht hat er Zeit und macht mit."

Mit Micha telefonieren zu wollen war eine Sache, ihn zu erreichen eine andere. Mehrmals versuchten sie es, aber ... jedesmal ohne den gewünschten Erfolg. Sich die Zeit mit einem großen Eis vertreibend schlenderten sie durch das Hafengelände. Eike erzählte noch einmal von Wien und von Manuela.

„Weißt du, Niko", sagte er. „Ich mag sie wirklich gern und in der Zeit, wo ich zu Hause so einen Stress hatte, war es schön von ihr Post zu bekommen."

„Und jetzt ist das anders?"

Eike schwieg einen Augenblick. „Der Ton in ihren Briefen hat sich geändert. Es taucht auch immer häufiger der Name Ronald auf."

„Hm", machte Niko. „Ingolstadt ist auch weit weg."

Langsam gingen sie in Richtung Fischmarkt.

„Und zu Hause, wie läuft es da?"

„Traurig. Es wird gepackt, alles sieht aus, als wenn bei uns eine Bombe eingeschlagen hätte. Aber das Tollste ist, dass meine Eltern wieder miteinander reden. Richtig so, als wenn sie sich noch gern hätten."

„Und wie kommt das?"

„Herr Rotherkamp hat ihnen sehr geholfen. Er hat immer wieder mit ihnen gesprochen und erklärt, dass die Sache an sich schmerzhaft genug sei. Man sollte Frieden schließen und sich einigen."

Von weitem sahen sie den über hundert Meter hohen Turm der Michaelis-Kirche, deren Uhr schon weit nach sechs anzeigte.

„Wir versuchen es nochmal!", schlug Niko vor. „Vielleicht ist Micha jetzt da."

Die nächste Telefonzelle war nicht weit entfernt. Eike und Niko hatten Glück. Schon nach zweimaligem Läuten hob Micha ab.

„Ja?"

„Hallo, Micha. Wir sind es, Niko und Eike."

„Gut, dass ihr anruft. Ihr wollt mir bestimmt helfen?"

„Helfen?"

„Klar, ich tapeziere doch meine ganze Wohnung ..."

Niko wandte sich kurz an Eike. „Wir sollen ihm beim Tapezieren helfen ..."

Eike lachte. „Können wir ja mal machen. Aber heute geht das auf keinen Fall."

„Hast du gehört, Micha?", fragte Niko in die Sprechmuschel. „Wir helfen dir. Aber nicht heute. Wir wollten eigentlich mit dir zu der Kneipe fahren, die du im Hafen kennst. Du weißt schon, wegen der Jacke von Sibylle."

„Keine Zeit, wirklich nicht", lehnte Micha ab. „Aber der Name ist mir wieder eingefallen. Die Kneipe heißt: *Seespinne!*"

„*Seespinne?*", entfuhr es Niko. „Mensch, da kommen wir gerade her."

„Woher wisst ihr?", fragte Micha ungläubig zurück. „Wie seid ihr darauf gekommen?"

„Wir hatten einen Tip. Aber vorhin war der Schuppen noch geschlossen."

„Dann versucht es nochmal. Ich schätze, dass das nicht umsonst ist."

Niko hängte ein. „Hast du alles mitbekommen?"

„Nee", sagte Eike. „Wie denn auch? Irgendwas war mit der *Seespinne*."

„Stimmt. Ist das nicht witzig? Die *Seespinne* ist genau das Lokal, das er gemeint hatte. Komm! Nichts wie hin."

Auf dem schnellsten Weg rannten Niko und Eike zurück zu den Landungsbrücken, dann runter an den Hafen und an der alten Uferstraße vorbei. Das holprige Kopfsteinpflaster erschwerte das schnelle Laufen sehr. Vor dem Lokal standen inzwischen einige Autos und ein paar Zweiräder. Im Gastraum brannte Licht. Niko und Eike versteckten sich hinter zwei abgestellten Containern, um zunächst einmal alles zu beobachten. Eike öffnete seine Kameratasche, nahm den Fotoapparat heraus und zoomte eine Zeit lang herum.

„Meinetwegen kann es losgehen", sagte er. „Von hier aus habe ich eine gute Übersicht und eine tolle Entfernung. Wenn ich will, dann fotografiere ich jeden, der hier rauskommt so, dass man seine schwarzen Fingernägel erkennen kann."

„Falls er welche hat", flüsterte Niko.

„Und wenn er keine hat, dann fotografiere ich sein Ohrenschmalz."

Niko stellte sich neben seinen Freund. „Ich habe ein gutes Gefühl", sagte er. „Irgendetwas passiert gleich."

„Es muss nichts passieren, ... aber stop mal, da kommt was!"

Beide Jungen zogen sich noch etwas tiefer in

die Schatten der Container zurück. Ein kleiner Lieferwagen kam angebraust und hielt. Ein Mann in weißer Kittelschürze stieg aus, öffnete die hintere Ladeklappe und trug zwei Tabletts in das Lokal.

„Das ist sicher ein Verbrecher, der als Metzger verkleidet ist", spottete Eike, „zur Tarnung bringt er frische Frikadellen."

„Könnte ich jetzt auch vertragen", murmelte Niko.

Ein paar Gäste, die immer wieder stehen blieben und lachten, näherten sich. Als sie das Lokal betraten, schallte lautes Gejohle heraus. Dann aber, fast unbemerkt, rollte ein kleiner roter Sportwagen heran. Er kam so leise, dass Eike und Niko ihn erst im allerletzten Augenblick wahrnahmen: offenes Verdeck, blitzendes Chrom, glänzender Lack. Der Fahrer parkte genau vor dem Eingang. Es war ein jüngerer Mann, dunkel gekleidet, mit einer Sonnenbrille und kurzen, schwarzen Haaren.

„Der scheint nicht lange bleiben zu wollen", flüsterte Niko. „Der schließt nicht mal sein Auto ab. Am besten, du machst ein Foto."

„Wenn er wieder rauskommt, dann habe ich ihn von vorn", antwortete Eike und justierte die Entfernung noch einmal nach.

Sie warteten noch eine ganze Weile und hatten mehr Glück, als sie sich erhofft hatten. Nach fünf bis sechs Minuten kam der kurzhaarige Typ mit der Sonnenbrille wieder aus dem Lokal. Er wurde von drei Jugendlichen begleitet, die durchaus auf Sibylles Beschreibung passten. Neben dem Sportwagen blieben sie stehen und sprachen leise miteinander. Nach einer Weile, in der hauptsächlich der Sportwagenfahrer das Wort führte, hoben sie die Hände über ihre Köpfe und sprachen gemeinsam einen langen Satz, der sich nach einem Spruch, mehr noch, der sich nach einer Verschwörung anhörte. Anschließend löste sich die Gruppe auf. Der Fahrer stieg in den Wagen und brauste los. Die drei Jugendlichen gingen wieder in das Lokal zurück.

„Hast du alles drauf?", fragte Niko atemlos und schaute Eike an, der lächelnd seine Kamera verstaute.

„Was heißt alles?", fragte Eike zurück. „Ein Foto zeigt in der Regel lediglich die Oberfläche. Aber mehr brauchen wir eigentlich auch nicht."

5. Kapitel

Was sind denn nun eigentlich Freibeuter und warum wurden sie die Vitalienbrüder genannt? · Ein neuer, gemeiner Überfall

„Soll ich auf dich warten?", fragte Sibylle, die ihre Tasche schon in der Hand hatte und gerade runtergehen wollte, um zur Schule zu fahren. „Oder kommst du hinterher?"

„Warte!", rief Niko. „Ich mache mir nur noch ein Pausenbrot!"

In aller Hast schnitt Niko zwei Brötchen auf, bestrich sie mit Butter und belegte sie mit Schnittkäse. Dann fuhren sie los. Niko erzählte seiner Schwester von den Scooterleuten und was sie im *Greyhound* alles erlebt und erfahren hatten. Dann berichtete er von dem Telefonat mit Micha und von der *Seespinne*. Er erzählte ganz genau, was sie gesehen und was sie fotografiert hatten.

„Die Sache entwickelt sich nicht schlecht", sagte er. „Und wie war es gestern bei euch in Geesthacht? Wart ihr erfolgreich?"

Sibylle schüttelte den Kopf und ließ sich wegen einiger Autos, die ungeduldig hupten, etwas zurückfallen.

„Einen Zwischenlauf haben wir gewonnen!", rief sie laut, um verstanden zu werden. „Insgesamt waren wir Sechste!"

„Nicht schlecht!", rief Niko zurück.

Dann bogen sie in die Bergheimer Straße ein und sahen Eike, der wie gewohnt an einer Litfasssäule lehnte und auf sie wartete.

„Ihr seid spät", schimpfte er und schwang sich in den Sattel.

Als sie den Schulhof betraten, klingelte es bereits und die Schüler und Schülerinnen machten sich in einer gewissen, nicht ganz zu durchschauenden Ordnung auf den Weg in ihre Klassenräume.

„Bio bei Feiss, es bleibt einem auch nichts erspart", stöhnte Niko, dem noch aus der vorigen Woche die Auseinandersetzung mit dem Lehrer in den Knochen steckte. „Ich glaube, ich raffe das alles nicht."

Eike setzte sich bereits. „Reiß dich einfach mal zusammen und konzentriere dich auf den Unterricht", mahnte er, „du wirst sehen, das bringt es."

Wie Eike es ihm geraten hatte, versuchte es Niko. Alles was ihm im Zusammenhang mit dem Überfall auf Sibylle durch den Kopf gehen wollte, verdrängte er. Das Thema war noch immer die vollkommene und unvollkommene Verwandlung, diesmal am Beispiel des Maikäfers. Niko versuchte sich wirklich zu konzentrieren. Wenn man sich Mühe gab und aufpasste, war das Thema sogar interessant. Herr Feiss zeigte Dias, verteilte anschließend Arbeitsblätter und ließ den Schülern und Schülerinnen Zeit sich mit der Sache in Ruhe zu beschäftigen. Schneller als erwartet war die Doppelstunde rum.

Geschafft, dachte Niko. Nach der großen Pause kam das Fach Geschichte. Niko wartete gespannt ab, und als Dr. Eitel die Klasse betrat, meldete er sich sofort. „Herr Dr. Eitel", sagte er, nachdem der Lehrer ihn drangenommen hatte. „Können wir heute mal ein bisschen über Klaus Störtebeker sprechen, ich meine, der war ja schließlich ein Hamburger ..."

Dr. Eitel zog seine Augenbrauen hoch. „Wie kommst du gerade darauf? Das fällt unter Sachunterricht und wird doch eigentlich in der Grundschulzeit abgehandelt."

Niko erzählte kurz, wie sie auf die Störtebeker gestoßen waren. „Es muss doch einen Grund dafür geben, warum sich eine Gruppe gerade einen solchen Namen gibt."

Dr. Eitel schaute auf seine Uhr. „Gut, wenn alle einverstanden sind, dann machen wir einen kleinen, thematischen Exkurs. Mehr ist nicht drin." Er schaute seine Schüler an. „Na, interessiert ...? Jemand was dagegen?"

Niemand erhob Einspruch und Dr. Eitel begann zunächst einmal das Vorwissen abzuklopfen. „Irgendetwas bekannt? Irgendetwas hängen geblieben?"

Es dauerte eine ganze Zeit, bis sich jemand meldete. Es war Ole. Als Dr. Eitel ihn aufrief, sagte er nur ein Wort: „Freibeuter ...!"

Sabine meldete sich: „... ist geköpft worden und soll danach noch zehn Schritte gelaufen sein."

Axel meldete sich auch. „Irgendwas mit Schweden, so eine Art Robin Hood."

Dr. Eitel lächelte überlegen. „Nicht schlecht, nicht schlecht, was ihr da so behalten habt." Er wischte sich reinigend über sein Sakko, überlegte einen Augenblick und erklärte: „Klaus Störtebeker ist eine historische Figur. Er war Anführer einer Freibeutergruppe, das heißt, er durfte mit seinen Mannen ungestraft fremde Schiffe kapern, ausrauben und versenken. Klaus Störtebeker unterstützte mit seinen Leuten zunächst den schwedischen König Albrecht gegen Margerete von Dänemark, die im 14. Jahrhundert mit ihrem Heer Stockholm belagerte. Die Freibeuter, auch Vitalienbrüder genannt, kaperten Schiffe und versorgten Stockholms Bevölkerung mit Lebensmitteln. Später aber kaperte Störtebeker mit seinen Mannen Schiffe auf eigene Faust und zu eigenem Nutzen. Damit wurde er rechtlos. Dann war er eigentlich nur ein Seeräuber und Seeräuberei verstieß gegen die damaligen Vereinbarungen über das Verhalten auf See. Seeräuber wurden geächtet, gefangen und natürlich bestraft."

Wieder wischte sich Dr. Eitel über seine Jacke, dann fuhr er mit seinem Vortrag fort.

„Wenn ich mich jetzt so aus dem Stegreif richtig erinnere, dann wurden die Freibeuter 1398 vom Deutschen Orden von ihrem Stützpunkt Gotland vertrieben und drei Jahre später von der Hanse-Flotte bei Helgoland vernichtend geschlagen. Ihr Anführer, nämlich jener Klaus Störtebeker, wurde 1402 hier in Hamburg hingerichtet. Ob das sein richtiger Name gewesen war, ist unbekannt. Den Namen Störtebeker soll er sich dadurch erworben haben, dass er einen großen Becher Bier in einem einzigen Zuge runterstürzen konnte. Stört de Beker! Soll heißen: Stürz den Becher!"

Mit dem Zeigefinger der rechten Hand, kratzte Dr. Eitel am Daumen der linken Hand und wartete auf weitere Wortmeldungen.

Niko hob die Hand. „Dann war der Klaus Störtebeker eigentlich jemand, der sich für das Recht einsetzte und der der hungernden Bevölkerung half?"

Dr. Eitel holte tief Luft. „Wie ich schon sagte", antwortete er. „Am Anfang ja. Er lebte auf der Grenze zwischen Recht und Unrecht. Aber so eine Art Robin Hood, wie Axel vorhin meinte, war er mit Sicherheit nicht."

Nach dem Unterricht blieb Eike noch in der Schule. Er wollte im Labor arbeiten und den Film vom Vortag entwickeln.

„Wir telefonieren", sagte er zu Niko, der sich seine Tasche unter den Arm geklemmt hatte und sich von ihm verabschieden wollte. „Und was machst du heute Nachmittag?"

Niko überlegte einen Augenblick. „Wenn ich jetzt Hausaufgaben sage, dann fühlst du dich auf den Arm genommen, stimmt's?"

„Bla ..., bla", machte Eike und zeigte Niko einen Vogel. Niko lachte. „Vielleicht gehe ich mit Sibylle noch einmal zu der Stelle, an der sie überfallen wurde", sagte er. „Immerhin kann es sein, dass wir dort etwas entdecken."

„Gute Idee", sagte Eike. „Und wie gesagt, wir telefonieren noch."

„Moin moin, Frau Kruse!", grüßte Niko, als er die Küche betrat. „Was gibt es zu essen?"

Frau Kruse schaute auf, erwiderte den Gruß und wischte sich ihre Finger an der Schürze ab. „Pfannkuchen gibt es, mit frischen Pflaumen", sagte sie. „Dazu grünen Salat mit süßer Milchsoße."

„Lecker", rief Niko. „Wann essen wir?"

„In einer halben Stunde, wenn deine Schwester da ist."

„O.K., ich bin bis dahin im Keller", sagte Niko gut gelaunt und warf seine Tasche in die Nische unter dem Treppenaufgang.

Im Keller war es wie beim letzten Mal angenehm kühl. Wieder setzte sich Niko an den Schreibtisch und griff nach den Illustrierten. Konzentriert orientierte er sich an den Inhaltsverzeichnissen und blätterte sie nach und nach durch. Ein Aufsatz erweckte sein besonderes Interesse. Er war vom Mai diesen Jahres und behandelte das Thema: Gewalt an Schulen.

Niko setzte sich bequem hin, legte die Füße

locker auf den Tisch und begann zu lesen. Was er las, war im Prinzip nichts Neues, nichts, was er nicht schon in den anderen Artikeln gelesen hatte. Wieder ging es um Jugendliche, die zum Beispiel *in der Schultoilette ein Pissoir aus der Verankerung reißen*, oder um Schüler, die einen Mitschüler *wegen seiner geilen Nike-Basketballschuhe zusammenschlagen und ausrauben*, und um Kinder, *die unter Androhung von Gewalt von ihren Spielkameraden Schutzgeld erpressen. Manche*, so stand es wörtlich da, *polieren ihrem Gegenüber auch nur einfach die Fresse, weil der so komisch guckt.*

Niko schaute in das nächste Heft. Auch hier wieder ein Text zum Thema Gewalt. *Hand in Hand*, hieß es da. *Polizei und Pädagogen gegen Jugendgewalt.*

Niko las und wunderte sich. Ein Schulrat schrieb, dass viele Abzocker, so nannte er die Jugendlichen, die andere unterdrücken und ausrauben, gar nicht wüssten, dass sie eine Straftat begingen. Er forderte deshalb ein konsequentes Einschalten der Polizei. Andere Pädagogen unterstützten ihn, weil sie die Erfahrung gemacht hätten, dass die jugendlichen Rowdys längst nicht mehr mit schulischen Mitteln erreichbar seien. Die jugendlichen Täter hätten sich bereits von dem Erziehungseinfluss der Schule frei gemacht. Die Werte der Schule seien nicht mehr die ihren.

Niko legte die Zeitung aus der Hand und dachte darüber nach, warum an seiner Schule solche Dinge nicht passierten. Oder wurden sie nur verschwiegen? Lag es vielleicht daran, dass seine Schule mehr am Stadtrand lag?

Von oben her hörte er lautes Rufen. Es war Sibylle. „Essen ..., Niko! Das Essen ist fertig!"

Niko löschte das Licht und verließ den Keller. Schon im Flur roch es herrlich, und als er die Küche betrat, sah er über dem Herd Dampfwolken aufsteigen. Frau Kruse hatte einige Pfannkuchen auf Vorrat gebacken und warm gestellt.

Niko begrüßte seine Schwester.

„Alles klar?"

„Alles klar. Und bei dir?"

„Auch. Wir haben mit Eitel gesprochen. Er hat uns eine Menge über Klaus Störtebeker erzählt und ..."

„... und dass er ein guter Mensch war, haha", fuhr Sibylle dazwischen. „Ich will davon nichts mehr hören. Ich habe mich dafür entschieden, dass der Überfall auf mich kein Dummer-Jungen-Streich war."

„Mensch, Billi! Lass mich doch einmal ausreden! Ich bin doch deiner Meinung. An der Bande ist nichts Gutes dran. Sie muss bekämpft werden. Und es geht nicht mehr nur um deine Jacke und das Kettchen. Ich habe im Keller eine Menge Material gefunden, wenn du das liest, dann stehen dir die Haare zu Berge."

Das Telefon klingelte. Niko sprang auf und lief ins Wohnzimmer.

„Ja, Niko Bastian, hallo!"

Es war Nikos Vater. „Hallo, mein Junge!", sagte er. „Dich wollte ich sprechen. Hast du

70

Lust dir zwanzig Mark zu verdienen? Ich brauche dringend einen Beifahrer, der dem Micha hilft. Es ist eine Tour nach Schleswig."

„Nach Schleswig? Wann kämen wir denn zurück?"

„Noch vor dem Schlafengehen", scherzte Herr Bastian. „Ich denke mal, so spätestens in drei bis vier Stunden."

„O. K.", sagte Niko. „Ich esse nur schnell auf." Niko ging zurück in die Küche.

„Und?", fragte Sibylle. „Wer war das?"

„Es war Papa. Ich fahre mit Micha nach Schleswig. Es gibt einen Zwanni dafür."

„Du hast vielleicht Glück. Und unsere Nachforschungen?" Sibylle reagierte empört.

„Ach, Billi. Im Moment passiert nicht viel. Eike entwickelt die Filme und macht die Abzüge. Morgen treffen wir uns am Hafen und gehen in die *Seespinne*. Aber wenn du etwas machen willst, dann geh mit Yvonne noch einmal in den Park. Vielleicht haben die Typen etwas verloren oder ihr findet sonst eine Spur, die uns weiterhilft."

Den Vorschlag fand Sibylle gut. Schließlich war es ihre Jacke und ihr Kettchen.

„Machen wir", sagte sie kurz. „Vielleicht entdecken wir ja wirklich etwas."

Nach dem Essen, als Niko mit Micha schon unterwegs nach Schleswig war, setzte sich Sibylle so lange an ihre Hausaufgaben, bis Yvonne kam. Sibylle erzählte ihr von Nikos Vorschlag noch einmal in den Park zu gehen.

„Klar", sagte Yvonne. „Warum denn nicht, manchmal gibt es ja wirklich komische Zufälle."

Obwohl es sehr nach Regen aussah, setzten sich die Mädchen sofort auf ihre Räder und fuhren los. Kühler Wind wehte ihnen entgegen. Sie mussten ordentlich in die Pedale treten, um überhaupt vorwärts zu kommen.

Auf der Fahrbahn lag mit ausgebreiteten Flügeln eine tote Taube. Der Fahrtwind der Autos warf sie hin und her. Die Mädchen hielten an.

„Auch wenn sie tot ist", sagte Yvonne, „braucht sie noch lange nicht überfahren und zerquetscht zu werden."

Ohne falsche Hemmungen zu haben, bückte sie sich, nahm das tote Tier in ihre Hände und trug es an den Straßenrand.

„Und jetzt?", fragte Sibylle.

„Das weiß ich auch nicht. Jedenfalls wird sie nicht so verunstaltet."

Mit den ersten Regentropfen erreichten sie den Park und die Stelle, an der Sibylle überfallen worden war. Lange und genau suchten sie alles ab. Aber nichts, nichts war zu entdecken. Yvonne war enttäuscht, wischte sich ein paar Regentropfen aus dem Gesicht und schloss frierend den Reißverschluss ihrer Jacke.

„Wir stellen uns ein bisschen unter die Bäume", sagte sie und verließ mit wenigen Schritten die Wiese. Sibylle, die ihr eigentlich folgen wollte, blieb plötzlich stehen.

„Die kenne ich doch ...", sagte sie leise, mehr zu sich selbst als zu Yvonne. „Das sind doch die ..., eh ..., Yvonne!", rief sie dann. „Da kommen die alten Leute mit ihrem Hund, es sind die gleichen, die auch da waren, als ich überfallen wurde."

Yvonne kam noch einmal zurück auf den Weg. „Und?", fragte sie. „Was nützt uns das? Willst du sie als Zeugen?"

Sibylle wusste nicht genau, was sie antworten sollte. „Du", sagte sie nur. „Ich glaube, da stimmt etwas nicht. Da ist etwas passiert."

Aber nicht nur die Mädchen hatten die alten Leute entdeckt, sondern die alten Leute auch die Mädchen. Die Frau hob ihren Schirm hoch über den Kopf und rief: „Hallo ...! Hallo ...! Wer hilft hier denn mal ...?"

Trotz des Nieselregens liefen Sibylle und Yvonne schnell auf die Leute zu.

„Was ist denn?", keuchte Sibylle. „Was ist los?"

Die Frau, die sich an ihrem Mann festhielt, atmete tief durch. „Dort hinten ist ein kleiner Junge überfallen worden, man hat ihn beraubt. Er sitzt rechts hinter der Weggabelung auf einer Bank. Mein Mann wollte ihm beistehen. Aber die Kerle haben ihn einfach hingeschubst. Die schöne Hose ..., und der Ärmel ist auch kaputt."

„Wer?", fragte Yvonne. „Wer hat das getan?"

„Ein paar junge Burschen waren es. Drei oder vier, nicht viel älter als ihr."

„Können Sie allein nach Hause?"

„Ja, es geht schon. Kümmert euch bitte um den Jungen. Der arme Kerl."

Sibylle und Yvonne sausten los. Auf der hölzernen Parkbank saß ein kleiner Junge und weinte.

„Ich geh nicht nach Hause", jammerte er. „Das ganze Geld ist weg."

Sibylle stellte sich vor den Jungen. Er war ungefähr zehn Jahre alt und hatte vom Weinen gerötete Augen.

„Nun erzähl mal!", forderte sie ihn auf. „Vielleicht können wir dir helfen."

Nach einigen weiteren Schluchzern beruhigte sich der Junge etwas. „Es waren vier", sagte er. „Sie wollten mich verhauen. Ich musste ihnen mein Geld geben."

„Hattest du denn Geld?"

„Ja, dreißig Mark. Ich sollte in der Reinigung etwas abholen."

„Bist du verletzt?"

„Nein. Ich habe ihnen das Geld gegeben und dann geschrien ..., und einen alten Mann haben sie auch gehauen."

Sibylle wischte dem armen Kerl mit dem Ärmel ihres Hemdes über die Augen.

„Wie heißt du? Und wo wohnst du?", fragte sie. „Wir bringen dich nach Hause."

Der Junge hatte sich inzwischen ziemlich beruhigt. Willig stand er auf. „Ich heiße Stefan Striemitzer", sagte er, „und ich wohne bei meinen Eltern."

Sibylle und Yvonne lächelten.

„Wo wohnst du?"

Stefan bemerkte, dass er versehentlich eine dumme Antwort gegeben hatte. „Ich wohne in

74

der Schluchenhausener Straße", ergänzte er. „Gleich im ersten Haus."

In der Zeit, in der Sibylle und Yvonne Stefan nach Hause brachten, kamen Niko und Micha aus Schleswig zurück. Niko machte sich sofort über das alte Moped her, das ihm sein Vater vor einiger Zeit geschenkt hatte.

„Daran kannst du Erfahrungen sammeln", hatte er gesagt. „Und wenn nichts davon übrig bleibt, ist es auch nicht schlimm."

Aber das wollte Niko nicht zulassen. „Ich kriege das Vehikel schon wieder zum Laufen", sagte er zu sich selbst, „und wenn mir Herr Kranich dabei hilft."

Mit öligen Fingern, immer wieder einen Putzlappen zur Hand nehmend, baute er in mühevoller Kleinarbeit den Motor aus und demontierte das kleine Getriebe. Niko war so sehr in seine Arbeit vertieft, dass ihn der Krach nicht störte, der besonders in den Abendstunden entstand, wenn viele Fernfahrer von ihren Touren zurückkamen. Kritisch besah er sich die auseinander genommenen Teile. Ob das wohl alles so richtig war? Noch nicht ganz schlüssig, ob ja, ob nein, spürte er eine Hand auf seiner Schulter. Es war Sibylle.

„Niko!", sagte sie. „Gut, dass du schon da bist. Mensch, wir haben was erlebt."

Niko ließ von seiner Arbeit ab.

„Hallo", antwortete er. „Ihr seid aber spät. Ich bin schon über eine Stunde zurück, obwohl wir noch eine Zeitlang am Nordostsee-Kanal gestanden haben. Mann, habe ich einen Tanker gesehen."

„Toll!", sagte Sibylle nicht ohne Ironie. „Was du alles erlebst. Interessierst du dich vielleicht auch dafür, was wir erlebt haben?"

„Doch, na klar." Niko entschuldigte sich. „Geht schon mal rein", sagte er. „Bei dem Krach versteht man nix. Ich komme gleich nach."

Niko ließ alles stehen und liegen, stieg auf sein Fahrrad und besorgte ganz schnell drei Mini-Pizzen, mit denen er einige Zeit später überraschend im Zimmer seiner Schwester auftauchte.

„Sind von den zwanzig Mark", sagte er und grinste. „Guten Appetit!"

Sibylle und Yvonne staunten nicht schlecht. Heißhungrig machten sie sich über diese unerwartete Köstlichkeit her. Dann erzählten sie von dem erneuten Überfall.

„Der Junge heißt Stefan", sagte Yvonne, „und stell dir einmal vor, seine Mutter ist eine richtige Kommissarin. Sie ist bei der Polizei."

Nun war es Niko, der staunte. „Habt ihr mit ihr gesprochen?"

„Nein, sie war nicht da. Nur der Vater."

„Und, was sagt er?"

„Nicht viel. Er war genauso entsetzt wie wir. Er hat gesagt, dass seine Frau jetzt Dampf machen wird. Sie kommt morgen bei uns vorbei."

Niko steckte sein letztes Stück Pizza in den Mund, leckte seine Finger ab und faltete den Pappteller zusammen.

„Nicht schlecht", sagte er. „Aber das bedeutet nicht, dass wir unsere Nachforschungen einstellen. Wir sind nahe dran. Das sagt mir mein Bauch."

Yvonne lachte. „Und mein Bauch sagt mir, dass ich jetzt nach Hause muss. Wir gehen morgen zusammen in die *Seespinne*, das ist ja wohl der nächste logische Schritt."

Sibylle schaute Niko an.

„Meinetwegen", sagte Niko. „Ich sage Eike Bescheid, damit er sich für morgen nichts anderes vornimmt."

6. Kapitel

Was man nicht im Kopf hat, muss man in den Beinen haben · Irren ist menschlich · Endlich ein Erfolg

Niko, Sibylle und Eike standen versteckt hinter einem der abgestellten Container am Hafen und warteten auf Yvonne. Yvonne war spät dran, und als sie endlich von den Landungsbrücken her angelaufen kam, war sie völlig aus der Puste. „Hatte meine Fahrkarte vergessen", keuchte sie. „War in der Kontrolle."

„Und? Strafe?", fragte Sibylle.

„Nein. Der Kontrolleur hat mir geglaubt. Er hat sich nur meinen Namen und meine Anschrift notiert. Aber ich musste aussteigen und den Rest der Strecke zu Fuß gehen."

„Unsere Oma sagt immer: Was man nicht im Kopf hat, das muss man in den Beinen haben!", scherzte Sibylle. Eike und Niko lachten und Yvonne zeigte allen Dreien einen Vogel.

Niko lugte hinter dem Container hervor. Die *Seespinne* schien gut besucht zu sein. Laute

Musik und zeitweilig dröhnendes Gelächter schallten bis zum Container herüber. Einige Jugendliche kamen am Kai entlang und gingen auf den Eingang der Kneipe zu.

„Kommt mal!", flüsterte Niko.

Die beiden Mädchen und Eike pressten sich neben Niko an den Container.

„Zwei von denen haben wir schon gesehen, sie sind mit auf den Fotos", stellte Eike fest.

„Und was meinst du?", fragte Niko seine Schwester.

„Kann ich nicht genau sagen. Aber von ihrer Kleidung und von ihrem Auftreten her könnten sie es schon sein."

Niko dachte einen Moment nach. „Gehen wir!", sagte er kurz. „Wir bleiben zusammen und suchen uns einen freien Tisch. Möglichst zentral. Wir versuchen uns ganz normal und ganz natürlich zu verhalten."

„Aber klar", grunzte Eike.

Von der Veddelerstraße her kamen noch andere Leute auf die *Seespinne* zu.

„Das ist günstig", flüsterte Yvonne. „Wenn die reingehen, gehen wir einfach mit. Dann fallen wir nicht so auf."

Wie es Yvonne vorgeschlagen hatte, machten sie es. Sie gesellten sich zu den anderen und betraten mit ihnen gemeinsam das Lokal.

„Mann, ist das 'ne Bude", knurrte Eike und blinzelte in das dunkle, diffuse Licht, das ihnen entgegenschlug.

„Eine richtige Spelunke", ergänzte Niko. „In welchem Film sind wir eigentlich?"

Sibylle gab ihrem Bruder einen Stoß in die Rippen. „Halt die Klappe!", befahl sie und zeigte auf die Längsseite im Lokal, in der noch einige freie Sitzgruppen standen. „Da hocken wir uns hin!"

Die vier setzten sich und schauten sich um. Holzvertäfelte Wände und unter die Decke gespannte Fischernetze gaben dem Raum etwas Seemännisches.

„Eigentlich sehr gemütlich", sagte Sibylle, als sie sich hingesetzt hatte. Eike stimmte ihr zu. „Und außerdem können wir von hier aus alles sehr gut beobachten; den Eingang zum Beispiel, die Theke und den weitläufigen Anbau. Guckt mal, die spielen da Billard."

„Der Platz ist o.k.", bestätigte Niko anerkennend. „Was bestellen wir?"

„Cola", sagte Eike. „Was sonst?"

Das ungezwungene Verhalten, das Niko gefordert hatte, stellte sich ganz von selbst ein, als sie merkten, dass keiner der anderen Gäste von ihnen Notiz nahm. Die Leute unterhielten sich ganz normal, der Wirt schenkte Bier aus und ein hübsches Mädchen, das mit einer Zigarette im Mund herumlief, brachte die Getränke. Langsam gewöhnten sich Nikos Augen an das Dämmerlicht. Er zeigte auf die Jungen, die im Anbau Billard spielten.

„Sollen wir hingehen?"

Eike winkte ab. „Noch zu früh", sagte er und holte die Bilder hervor, die er entwickelt und abgezogen hatte. Bevor er sie weitergab, schaute er selber noch einmal drauf.

80

„Das müssen die Typen sein", sagte er, „wenn nicht, dann fresse ich einen Besen."

„Klar, Mann, das sind die", sagte Yvonne. „Was meinst du?" Sie gab die Fotos an Sibylle weiter.

Sibylle bestätigte Yvonnes Aussage. „Sie sind es", stellte sie fest. „Aber der mit dem schönen Pullover, der mir den Arm umgedreht hat, ist nicht dabei."

„Das macht nichts", tröstete Niko. „Wir nehmen die Bilder mit und geben sie Frau Striemitzer. Vielleicht kann sie etwas damit anfangen."

Sibylle steckte die Fotos ein.

Neue Gäste betraten die Kneipe. Sie waren in Jeans gekleidet und hatten schrill bunt gefärbte Haare. Ein Mädchen trug eine ziemlich neue rote Jacke. Sibylle erkannte das zuerst. Es verschlug ihr fast den Atem.

„Guckt mal", sagte sie. „Da kommt meine Jacke rein."

Sibylle wollte aufspringen, aber Yvonne hielt sie zurück.

„Warte noch", befahl sie leise. „Wir haben Zeit. Das Mädchen läuft bestimmt nicht gleich wieder raus."

Sibylle musste zugeben, dass Yvonne Recht hatte. Ganz genau beobachteten sie, wohin das Mädchen ging. Es gesellte sich harmlos zu einigen Jungen und wurde mit ,Hallo' begrüßt.

„Wir müssen irgendwie an sie ran!", drängte Sibylle.

Eike verzog das Gesicht zu einem breiten Grinsen und ermahnte Sibylle abermals zur Geduld.

„Abwarten, Billi", sagte er. „Yvonne hat doch gesagt, dass wir noch Zeit haben."

Eikes Forderung stellte Sibylle auf eine harte Probe. Sie trank einen Schluck Cola, beobachtete die Gäste und ließ vor allem ihre Jacke nicht aus den Augen. Es dauerte nicht lange, da ging das Mädchen mit ihren Freunden zu den seitlich aufgestellten Flipperautomaten. Und während einer von ihnen Geld einwarf, hängte das Mädchen die rote Jacke an einen Kleiderhaken.

„Jetzt!", sagte Yvonne zu Sibylle. „Jetzt ist der richtige Zeitpunkt. Wir gehen zusammen hin. Ich stelle mich zwischen den Kleiderständer und dem Flipperautomat und du schaust dir die Jacke an. Wenn es deine ist, rufen wir die Polizei."

Die beiden Mädchen standen auf und gingen zu den Flipperautomaten. Ihre Herzen schlugen ihnen bis zum Halse. Yvonne zog mit ihren langen blonden Haaren die Blicke einiger Jungen auf sich. Doch sie lächelte selbstsicher und stellte sich so, dass Sibylle sich ungesehen mit der aufgehängten Jacke beschäftigen konnte. Sie untersuchte sie ganz genau. Sie war tatsächlich von derselben Firma und es war dieselbe Größe. Sibylle versuchte die aufgenähte Brusttasche zu öffnen. Sie war so aufgeregt, dass sie den Reißverschluss nur schwer aufbekam. Als sie es endlich geschafft hatte, suchte sie nach dem goldenen Kettchen. Aber es war nicht drin. Und dann kamen ihr plötzlich Zweifel.

War es überhaupt ihre Jacke? Ihr fiel ein, dass ihre Mutter einmal einen Riss im Futter mit einem weißen Faden geflickt hatte. Sie wendete die Jacke, sah das Futter und suchte die genähte Stelle in Höhe der linken Achsel. Nichts. Das Futter der Jacke war völlig in Ordnung, war heil, unversehrt und nicht von einem einzigen weißen Faden geflickt worden. In Sibylle brach alles zusammen. Vor Enttäuschung knickten ihr fast die Knie ein. Ein Junge vom Flipperautomat schaute interessiert zu ihr rüber.

„Ist was?", fragte er.

Sibylle brachte im ersten Augenblick kaum einen Ton heraus. Hatte er sie die ganze Zeit beobachtet? Sie schüttelte den Kopf und lächelte ihn an.

„Ich suche nur meine Jacke", sagte sie ganz ehrlich. Dann ging sie mit Yvonne an den Tisch zurück.

„Und?" Niko und Eike platzten fast vor Neugier. „Erzähl schon!"

„Niete", sagte Yvonne, weil Sibylle nicht antwortete. „Die Jacke ist es nicht."

„Mist", knurrte Eike. Er wandte sich an Sibylle. „Bist du sicher?"

„Klar, Mann!", fauchte Sibylle. „Diese Jacke gehört mir nicht. Wäre ja auch zu schön gewesen."

Für einen Moment schwiegen Niko und Eike und eine gewisse Ratlosigkeit, begleitet von einem hilflosen Schulterzucken, machte sich auf ihren Gesichtern breit. Eike nippte an seinem Getränk und fasste sich zuerst.

„Komm, Niko!", sagte er. „Ohne Ergebnis hauen wir hier nicht ab. Er zeigte zum Billardtisch. „Jetzt schauen wir uns die Kerle einmal aus der Nähe an."

Sibylle und Yvonne blieben auf ihren Stühlen sitzen und beobachteten, wie sich Eike und Niko an den Billardtisch stellten. Sie wirkten wie ganz normale Gäste. Sie blickten etwas gelangweilt in die Runde und verfolgten aufmerksam, was die Spieler taten, und vor allem, was sie sagten. Sehr schnell erfuhren sie, dass der eine Bronco, der andere Kuttel, ein dritter Uwe und ein vierter, so ein richtiger Softi, Richard hieß. Das waren jedenfalls die Namen, mit denen sie sich gegenseitig ansprachen.

„Wenn du die Acht einlochst", sagte Kuttel zu Uwe, „dann ist der Arsch ab."

Niko und Eike schauten sich fragend an. Was war das denn für eine Sprache? Aber Niko sagte nichts und ließ sich auch nichts anmerken.

„Au, Scheiße", eiferte sich Uwe, weil eine von ihm angeschossene Kugel direkt vor einem Loch liegen blieb. „Das war Millimeterarbeit. Am liebsten würde ich ..."

„Kotz dich aus! Was würdest du am liebsten?"

Richard machte eine Spielpause und stellte seinen Billardstock zwischen seine Füße. Uwe zögerte. Er schien sich eine Antwort darauf zu verkneifen und zog seine Jacke aus.

„Bei der Hitze", stöhnte er, „kann sich ja kein Schwein konzentrieren."

„Gute Idee", sagte Bronco.

Er und die anderen folgten seinem Beispiel.

Alle zogen ihre Jacken aus und krempelten sich die Ärmel hoch.

Niko und Eike standen wie versteinert da. Was sie nicht zu hoffen gewagt hatten, passierte gerade hier vor ihren Augen. Alle vier, Bronco, Uwe, Kuttel und Richard, trugen auf ihren Unterarmen ein eintätowiertes Schwert und darunter, gut lesbar das Wort: *Störtebeker*.

Niko gab Eike ein Zeichen und mit einem Kopfnicken deutete er an, dass sie genug gesehen und gehört hatten und sich nun zurückziehen sollten.

„Ich pack's nicht", brach es aus Niko heraus, als sie sich wieder zu den Mädchen an den Tisch setzten. „Die Schlinge zieht sich langsam zu."

Diesmal waren es die Mädchen, die neugierig aus den Augen schauten. Eike holte einen Kuli und einen Zettel aus der Tasche hervor und schrieb sich die vier Namen auf, den Tag und die Uhrzeit. Und Niko berichtete kurz, was sie in Erfahrung gebracht hatten.

„Wenn ich Polizistin wäre", sagte Yvonne und schnalzte mit der Zunge, „dann würde ich sie jetzt verhaften, alle vier."

Eike steckte seinen Zettel ein. „Quatsch", sagte er. „Die vier gehören zwar zu den Störtebekern, aber wir brauchen den Anführer. Wenn wir die hops gehen lassen, kommt der mit der Sonnenbrille ungeschoren davon."

Die Tür wurde geöffnet und wie bestellt betrat der Typ mit der Sonnenbrille das Lokal. Mit überheblicher Miene grüßte er gönnerhaft ein wenig in Richtung Theke und ging dann schnurstracks auf die Jugendlichen am Billardtisch zu. Freundliches Schulterklopfen und eine Umarmung zeigten deutlich an, wie nahe sich die Gruppe stand: eine verschworene Gemeinschaft.

„Tja", sagte Niko. Er fand als Erstes die Sprache wieder. „Er ist es! Wenn wir jetzt ein Auto hätten und ihn verfolgen könnten, wüssten wir bald mehr über ihn. Wir brauchen unbedingt Michas Hilfe."

„Und wenn wir Frau Striemitzer einschalten? Ich glaube, dass ..."

„... noch zu früh", wehrte Eike ab. „Sieh mal, die laufen uns nicht mehr weg. Außerdem wissen wir nun sicher, dass sie mit dem schwarzhaarigen Typ unter einer Decke stecken. Er ist der Anführer, der Kopf der Bande. Um ihn geht es und um sonst niemanden."

Yvonne, die noch vor einigen Minuten am liebsten alle verhaftet hätte, unterstützte jetzt plötzlich Eikes Ansicht.

„Jungs müssen zwar nicht immer Recht haben", sagte sie lächelnd. „Aber ich habe meine Meinung geändert. Ich glaube auch, dass wir noch ein bisschen weiter nachforschen sollten."

Mit einem Handzeichen rief Niko die Bedienung. Als er bezahlt hatte, verließen sie die Kneipe und machten sich gemeinsam auf den Nachhauseweg.

7. Kapitel

Bei Micha riecht es international · Der Wirt der Seespinne verweigert die Auskunft · Frau Striemitzer erscheint auf der Bildfläche

Von den gestrigen Erlebnissen in der *Seespinne* noch ganz in Anspruch genommen hatte Niko den heutigen Unterricht ohne großes Interesse über sich ergehen lassen. Nachdenklich und still saß er am Tisch und schaufelte das Mittagessen in sich hinein, das seine Mutter ihm hingestellt hatte. Frau Bastian stand vor der Spülmaschine und räumte Geschirr ein.

„Ist dir eine Laus über die Leber gelaufen oder schmeckt dir das Essen nicht?", fragte sie und unterbrach ihre Arbeit für einen Augenblick.

„Es schmeckt gut", antwortete Niko. „Ich muss nur über so vieles nachdenken."

„So?"

„Ich habe über Eike und seine Mutter nachgedacht. Habe ich dir erzählt, dass sie am Wochenende auszieht?"

Frau Bastian seufzte und setzte sich einen Augenblick zu ihrem Sohn.

„Ja, ja", bedauerte sie. „Das ist eine schlimme Sache für alle. Besonders für Eike. Und im Grunde genommen kann man da gar nicht helfen."

Niko schaute seiner Mutter ins Gesicht. „Aber er ist mein bester Freund."

Frau Bastian schwieg einen Augenblick. „Ich weiß", sagte sie dann. „Und du weißt, dass er jederzeit bei uns herzlich willkommen ist."

Niko kratzte mit der Gabel die Reste von seinem Kartoffelbrei auf dem Teller zusammen und spießte das letzte Stück Sülze fachmännisch auf.

„Ich habe es Eike gesagt", erklärte er. „Und Eike freut sich darüber."

Frau Bastian ging wieder zurück an die Spülmaschine und wechselte das Thema.

„Was machst du heute?", fragte sie. „Hast du etwas vor?"

„Ich kümmere mich zuerst ein bisschen um Skylla und fahre dann zu Micha. Eike und ich wollen ihm beim Tapezieren helfen. Wir haben es versprochen. Oder muss ich hier irgendetwas machen?"

„Nein, nein", beruhigte ihn seine Mutter. „Ich wollte nur wissen, ob du gut beschäftigt bist."

Mit Skylla, die mal wieder wie eine Irrsinnige an der Leine zog, radelte Niko in den Poppenbütteler Park und setzte sich ein bisschen an die Alster. Er brauchte Zeit, um ein wenig nachzudenken. Ein Zaunkönig, braun und winzig klein, schwirrte an ihm vorbei, ließ sich in der Nähe auf einem Zweig nieder und schmetterte frech, laut und ungehemmt ein mehrstrophiges Lied. Niko lächelte. Schön war dieser Platz. Er ließ die Hündin frei laufen und verfolgte mit den Augen, wie sie sofort zu stöbern begann. Dann fiel ihm die *Seespinne* ein und der Typ mit der Sonnenbrille.

„Wenn Micha uns hilft", sagte er leise zu sich selbst, „dann bringen wir ihn zur Strecke und Sibylle bekommt ihre Jacke und das Kettchen wieder."

Über Nikos Gesicht lief ein Lächeln. Er sonnte sich bereits in dem Erfolg, obwohl er wusste, dass es bis dahin noch einiges zu tun gab.

Ein Weilchen blieb er noch sitzen, dann stand er auf, rief den Hund und marschierte ein gutes Stück weiter. Kurz vor dem Rattenloch, wo er sich früher häufiger mit Eike, Billi und Yvonne getroffen hatte, blieb Skylla stehen und schnüffelte intensiv im Ufergebüsch herum. Niko pfiff, aber die Hündin gehorchte nicht. Sicher war sie einem Kaninchen auf der Spur. Niko pfiff ein zweites Mal und schickte noch ein strenges: „Skylla, hier!" hinterher. Diesmal reagierte die Hündin. Sie verhielt kurz und setzte sich zuerst langsam, dann immer schneller in Bewegung. Als sie bei Niko ankam, legte sie ihren Kopf an seine Beine und wedelte unterwürfig mit ihrem Stummelschwanz.

„Du musst nicht immer jagen", sagte Niko zu ihr. „Stell dir einmal vor, du packst zufällig Ottilie, das würde sie uns nie verzeihen."

Niko leinte Skylla wieder an und schaute auf die Uhr. Wenn er um drei Uhr bei Micha sein wollte, musste er sich sputen.

Deutlich hörbar ertönte der Summer, als Niko bei Micha geschellt hatte. Er drückte gegen die Tür und betrat das Treppenhaus. Ein süßlich-würziger Geruch schlug ihm entgegen, der ihm das Wasser im Mund zusammenlaufen ließ; auf jeder Etage schien gekocht zu werden. Überall roch es anders: im Parterre griechisch, im ersten Stock türkisch, im zweiten Stock libanesisch und in der dritten Etage, dort wo Micha wohnte, roch es nach allem, weil sich dort alle Gerüche in der aufsteigenden Luft mischten.

„Hast du auch was gekocht?", fragte Niko, als Micha ihm die Hand entgegenstreckte.

„Nein", lachte Micha. „Aber jetzt weißt du, warum ich gerne in diesem Haus wohne. Ich bin hier der einzige Deutsche und werde sehr oft von den anderen Familien eingeladen und meistens schmeckt es prima."

Niko betrat Michas Wohnung. Micha hatte seine wenigen Möbel mit Plastikfolien zugedeckt. Eike war schon fleißig bei der Arbeit. Er stand auf einer Leiter, trug eine Papiermütze auf dem Kopf und hielt einen Quast in der Hand: Er strich die Decke im Wohnzimmer sorgfältig mit weißer Farbe.

„Alles klar? Sieht toll aus", lobte Niko anerkennend. Dann zog er sich ein altes Hemd über und begann Tapeten einzukleistern, die Micha dann an die Wand klebte. Micha machte das sehr gerade und sehr akkurat. Die Farben, Neongrün und Neongelb, gefielen Niko nicht. Aber er hütete sich dazu etwas zu sagen.

Um fünf Uhr war das Wohnzimmer, bis auf einige Fummelecken an Fenster und Türen, fertig. Sie machten eine Pause, aßen Brötchen und tranken Limo dazu. Niko und Eike erzählten von der *Seespinne* und den Störtebekern. Micha zeigte sich beeindruckt. „Wenn ihr jetzt noch den Namen von dem Kerl mit der Sonnenbrille hättet, dann ...“

Micha stand auf, ging in die Küche und kam schon nach kurzer Zeit mit dem Telefonbuch und dem Telefon in der Hand zurück.

„*Seespinne*“, murmelte er. „Das haben wir gleich.“

„Steht bestimmt unter Gaststätten“, vermutete Eike.

Und richtig. Einige Augenblicke später wurden sie fündig. Micha wählte und wartete. Er drückte die Mithörtaste, damit Eike und Niko alles verstehen konnten.

„Hier *Seespinne* ...“

„Hallo!“, meldete sich Micha. „Ich möchte einen von den Störtebekern sprechen.“

„Sind noch nicht da“, war die kurze, knappe Antwort.

„Wie? Noch nicht da? Heißt das, dass sie noch kommen?“

„Heute nicht.“

„Ach so. Ich müsste sie dringend sprechen. Der Typ mit der Sonnenbrille, der Anführer, wo kann ich den erreichen?"

Es entstand eine längere Gesprächspause. Der am anderen Ende der Leitung fragte: „Wer sind Sie denn eigentlich?"

„Wer ich bin?", fragte Micha zurück. „Das spielt keine Rolle."

Der andere wurde wütend.

„Wenn du was von den Störtebekern willst", brüllte er in das Telefon, „dann musst du schon, verdammt nochmal, hierher kommen!"

Micha hängte ein und zuckte mit den Achseln. „Da weiß man ungefähr, was in dem Laden los ist", sagte er und grinste.

Niko grinste auch, aber das hatte einen anderen Grund. Micha hatte nämlich angebissen und mit diesem Anruf von sich aus schon ein wenig Verantwortung für die Sache übernommen.

„Was hältst du davon", fragte Niko, „wenn Eike und ich dir auch noch bei der Küche und dem Schlafzimmer helfen ...?"

Micha lächelte. „Du fragst das nicht ohne Grund. Willst doch was von mir?"

Niko lächelte. „Ich habe einen Vorschlag. Wir helfen dir und du kommst dafür morgen Abend mit zur *Seespinne*. Wenn der Typ mit der Sonnenbrille und dem Sportwagen da ist und das Lokal verlässt, dann verfolgst du ihn mit deinem Auto und stellst fest, wohin er fährt. Mit unseren Fahrrädern haben wir nämlich keine Chance."

Micha überlegte nicht lange. „Einverstanden", sagte er. „Mit der Renovierung machen wir am Wochenende weiter."

In bester Laune fuhr Niko nach Hause. Herr Kranich, der eigentlich schon Feierabend hatte, stand noch vor der Werkstatt und unterhielt sich mit Heini Wimmers. Niko radelte auf die beiden zu und stoppte.

„Moin, moin, Herr Kranich", sagte er. Und zu Heini Wimmers, den er seit der Wien-Tour duzen durfte, sagte er: „Hallo, Heini! Lange nicht gesehen."

„Ich war in ..., dreimal darfst du raten."

„... wo warst du?"

„Dreimal darfst du raten."

„Woher soll ich das wissen?"

„Denk doch mal an unser Abenteuer auf der Autobahn, als wir noch *Die geheime Fracht an Bord** hatten."

Niko fiel es wie Schuppen von den Augen. „In Wien warst du, habe ich Recht?"

„Erraten", Heini lachte. Herr Kranich mischte sich ein. „Du sollst zu deinem Vater kommen", sagte er. „Er hat Besuch und wartet auf dich."

Niko hob noch einmal grüßend die Hand, stellte sein Rad ab und ging in das Büro. Die Tür, die ins Zimmer seines Vaters führte, stand offen.

„Schön, dass du kommst", sagte Herr Basti-

---

* Vier greifen ein, Bd. 3

93

an. „Wir suchen dich schon eine ganze Zeit."
Dann zeigte er auf eine dunkelhaarige, sehr
sportliche und sehr schlanke jüngere Frau.

„Das ist Frau Striemitzer, Stefans Mutter.
Frau Striemitzer ist Kommissarin."

Niko, der sich schon gesetzt hatte, stand
noch einmal auf und gab der Kommissarin die
Hand.

„Eigentlich wollte ich mit deiner Schwester
sprechen", sagte die Kommissarin. „Aber sie
ist leider nicht da."

Niko zog fragend die Augenbrauen hoch und
schaute seinen Vater an.

„Sibylle ist mit Mama in die Stadt gefahren.
Sie kaufen eine neue Jacke."

„Ach so", sagte Niko und wandte sich an
Frau Striemitzer. „Dann kriegen wir die ge-
klaute Jacke also nicht wieder?"

Frau Striemitzer hob die Schultern. „Das
kann man so nicht sagen. Die Ermittlungen beginnen ja erst."

„Und warum erst jetzt? Solche Überfälle
sind doch nichts Neues. Das habe ich in ein
paar alten Illustrierten gelesen. Was meiner
Schwester und was Ihrem Sohn passiert ist,
passiert doch täglich: Überfälle, Drohungen
und Erpressungen. In der Schule haben wir
auch darüber gesprochen."

„Tja", verteidigte sich Frau Striemitzer.
„Aber die Polizei ist nicht untätig. Nicht
grundsätzlich."

Niko versuchte ein verständnisvolles Gesicht
zu machen.

„Zwischenfälle", Frau Striemitzer nahm das Gespräch wieder auf, „wie sie leider Sibylle und auch meinem Sohn passiert sind, häufen sich in der letzten Zeit. Im Präsidium haben wir bereits Karteien angelegt. Wir vergleichen Tatorte, Tatzeiten und Vorgehensweisen der Täter. Besonders die Täterbeschreibungen vergleichen wir. Außerdem sind Zivilstreifen angeordnet. Vielleicht helfen sie uns weiter. Sicher ist nur eins: Es handelt sich nicht nur um eine Bande. Es sind mehrere Gruppen, die hier in Hamburg ihr Unwesen treiben. Aber eine wichtige Voraussetzung für unseren Erfolg ist, dass die Leute, denen so etwas geschieht, Anzeige erstatten. Und darum bin ich deinen Eltern sehr dankbar."

„Was nützen denn Karteien?", maulte Niko, der sich die Arbeit von Kriminalbeamten ganz anders vorstellte.

„Viel", sagte Frau Striemitzer. „Kriminelle, die wir schon mal gefasst hatten, oder Mittäter aus deren Umfeld werden fotografiert und registriert. Wenn Sibylle zum Beispiel einen der Täter auf den Fotos wiedererkennt, dann wissen wir, wen und wo wir zu suchen haben."

Niko verstand. „Ist das denn so ungewöhnlich, dass jemand Anzeige erstattet?"

„Leider ja. Viele Eltern haben Angst vor der Brutalität der Täter, sie haben Angst vor Racheakten." Frau Striemitzer sah Niko ernst an. „Hast du noch etwas, was du mir erzählen könntest?"

Diese Frage hatte Niko erwartet. Was sollte

er nun antworten? Um Zeit zu gewinnen, schaute er seinen Vater an. Auf Herrn Bastians Stirn bildeten sich ein paar Längsfalten.

„Nun rede schon, Niko", sagte er. „Du bist doch sonst nicht auf den Mund gefallen."

„Wir ..., wir haben Fotos von Jugendlichen, die vielleicht in Frage kommen", sagte Niko, „aber wir kennen sie nicht."

Herr Bastian reagierte ungeduldig. „Und wo sind die Fotos?"

„Sibylle hat sie."

„Und wo habt ihr die Fotos her?", wollte Herr Bastian wissen. „Mensch, Niko, lass dir doch nicht jedes einzelne Wort aus der Nase ziehen!"

„Eike hat sie gemacht, wir ..."

Das Funktelefon der Kommissarin piepte. Frau Striemitzer entschuldigte sich, griff in die Jackentaschen und drehte sich ein wenig zur Seite. Einen kurzen Augenblick sprach sie mit dem Anrufer.

„Ich muss weg", entschuldigte sie sich nach dem Telefonat und stand auf. „Ein dringender Einsatz." Dann verabschiedete sie sich und forderte Niko auf ihr die Fotos von den Jugendlichen zu Hause vorbeizubringen. „Sibylle weiß ja, wo wir wohnen", sagte sie. „Vielleicht haben wir den einen oder anderen bereits auf unserer Fahndungsliste, das wäre schon ein schöner Erfolg."

Frau Striemitzer war gerade erst gegangen, als Sibylle und ihre Mutter vom Einkaufen zurückkamen. Sibylle stieg als Erste aus dem Auto und strahlte über das ganze Gesicht.

„Ich habe eine neue Jacke!", rief sie und hielt Niko eine Plastiktüte entgegen.

„Super", sagte Niko. Er öffnete die Tüte und schaute hinein. „Die sieht ja aus wie deine alte."

Sibylle zog die Jacke aus der Tüte und schlüpfte hinein.

„Wenn jetzt noch das goldene Kettchen in der Tasche wäre, dann wäre alles wieder in Ordnung."

Niko lächelte. „Das kommt auch noch", sagte er. „Ich glaube, wir sind nahe dran."

Niko berichtete seiner Schwester ausführlich von Frau Striemitzers Besuch und was sie gemeinsam besprochen hatten.

„Wir müssen den Fall bald lösen", sagte er ernst, „sonst kommt uns die Striemitzer zuvor."

Sibylle nickte. „Hast du eine Idee?"

„Schon."

„Und? Welche?"

Niko überlegte einen Augenblick. „Ich weiß nicht, ob sie was taugt. Was hältst du von einem Lockvogel? Einer von uns spaziert durch den Park und die anderen verstecken sich, und wenn ...."

Sibylle verzog das Gesicht. „Das läuft auf eine schlimme Prügelei hinaus. Da ziehen wir den Kürzeren. Und außerdem, was ist, wenn die hier bei uns im Park nicht mehr auftauchen? Die wären doch blöd, wenn die immer an derselben Stelle zuschlagen."

Niko biss sich ein wenig auf die Lippen. Was seine Schwester sagte, klang richtig.

„Hast du einen besseren Vorschlag?"

„Vielleicht. Ich könnte mir vorstellen, dass wir ihnen ein Geschäft anbieten."

„Ein Geschäft?"

„Ja. Wir sagen ihnen, dass wir ihnen irgendwelche teuren Sachen beschaffen können und wenn die darauf anspringen, dann lassen wir die Falle zuschnappen."

„Wie? Zuschnappen?"

„Na ja, dann schalten wir Frau Striemitzer ein. Was hältst du davon?"

„Und was für Sachen sollen das sein?"

„Egal. Fotoapparate, Uhren, meinetwegen auch Schuhe oder Jacken ..."

„Nicht schlecht", murmelte Niko anerkennend. Dann fielen ihm die Fotos ein. „Du musst mir die Fotos geben. Ich habe versprochen sie ihr vorbeizubringen. Und außerdem, ich möchte noch einmal in den *Greyhound*. Vielleicht erfahre ich etwas Neues."

„Fahr du zu deinen Scooterleuten", sagte Sibylle. „Ich werfe Frau Striemitzer die Fotos in den Briefkasten."

Weil es regnete, saßen die Scooterfahrer nicht vor dem *Greyhound*, sondern im Lokal. Einige rauchten, einer plagte sich mit einem Kreuzworträtsel herum und zwei spielten Schach. Als Niko die Kneipe betrat, freuten sie sich.

„Was macht euer Problem?", fragte der ehemalige Lehrer. „Alles paletti?"

„Nein", sagte Niko. „Aber wir sind den Burschen auf der Spur. Der Tip mit der *Seespinne* hat uns ganz schön weiter geholfen. Ist Berdy da?"

„Wenn man vom Teufel spricht", sagte der ehemalige Lehrer. „Dreh dich mal um!"

Zum Umdrehen war es zu spät. Eine mächtige Hand sauste nieder und schlug wie ein Blitz auf Nikos Schulter ein.

„Na? Bist du auch mal wieder da?"

Niko lächelte. „Es gefällt mir hier, und wenn ich sechzehn bin, fahre ich auch so eine Maschine. Aber eine Fünfziger, mehr darf ich ja dann noch nicht."

„Gut so", sagte Berdy.

Er hockte sich mit an den Tisch und bestellte beim Wirt einen Kaffee und ein extra großes Bauernfrühstück. Dann holte er einen ganzen Stapel winziger Buntstiftzeichnungen hervor. Sie waren mit leichter Hand gemalt, wirkten manchmal etwas schief und hatten durchaus etwas Stimmungsvolles, etwas Ehrliches, wenn man sowas überhaupt über Bilder sagen konnte.

„Da", sagte Berdy, „wie gefallen sie dir?"

Niko nahm einige der Bilder in die Hand und schaute sie interessiert an.

„Hast du die gemalt?"

Berdy ging auf die ihm gestellte Frage nicht ein. „Gefallen sie dir oder nicht?"

„Ja", antwortete Niko ganz ehrlich. „Sie sind hübsch. Es sind Dinge aus unserem Leben. Dinge, die ich kenne. Das ist schön."

Berdy freute sich sichtlich. „Das ist meine Jahresaufgabe. Ich male jeden Tag eins. Am Schluss habe ich dann dreihundertfünfundsechzig Stück. Das hier sind ein paar Doppelte. Ich male in der Straßenbahn, auf der Arbeit, zu Hause oder manchmal auch hier im Grauen Köter. Vielleicht werde ich berühmt. Du darfst dir eins aussuchen."

Niko freute sich. Er blätterte die Bilder noch einmal durch und entschied sich dann für einen Motorroller, der in leuchtenden grellen Farben gemalt war und auf dessen Sitz ein Salzstreuer und ein Frühstücksei standen.

„Das würde ich gerne haben", sagte Niko, „vielleicht bringt es uns Glück."

„Glück? Wofür Glück?"

„Morgen treffen wir am Hafen auf die Störtebeker, wir wollen ihnen ein Geschäft vorschlagen."

Berdy lächelte. „Riskiert nicht zu viel" sagte er. „Wenn ihr Hilfe braucht, ihr wisst ja, wo ihr uns findet."

Der Wirt brachte den Kaffee und das extra große Bauernfrühstück.

„Sieht doch prima aus", dröhnte es aus Berdy heraus. Dann griff er zu Messer und Gabel und war für niemanden mehr zu sprechen.

8. Kapitel

Hurra, die Schule brennt! · Herr Kranich ist beeindruckt · Yvonne bekommt einen Tritt in den Bauch

Es geschah völlig unerwartet, es geschah nach der großen Pause und es geschah mitten in der Geschichtsstunde.

Niko, noch völlig in Anspruch genommen von der Jagd nach der Störtebekerbande, ging mit seinen Gedanken gerade noch am Hafen spazieren, da knallte es plötzlich fürchterlich und für einen kurzen Moment erzitterten die Fensterscheiben des Klassenzimmers. Niko war genauso erschrocken wie Eike, Barbara, Sven und die anderen, mit denen er gemeinsam ans Fenster eilte.

Dr. Eitel versuchte Ruhe zu bewahren. Er erinnerte sich flüchtig und in Sekundenschnelle an die Brandvorschriften und an das richtige Verhalten im Katastrophenfall. Mit lauter Stimme befahl er, dass alle Fenster und Türen geschlossen zu bleiben hätten.

„Und jetzt", sagte er, „setzt ihr euch alle wieder auf eure Plätze. Ihr packt eure Taschen und bewahrt Ruhe!"

Das Befolgen dieser Anweisungen fiel den Schülern schwer. Nur langsam und zögerlich nahmen sie ihre Plätze wieder ein.

„Das war im Physikraum!", rief Niko.

Er stand noch immer mit einigen anderen am Fenster und zeigte über den Hof und auf die dort in mehreren Bungalows untergebrachten naturwissenschaftlichen Arbeitsräume. Aus einem von ihnen quoll tatsächlich Qualm in dichten schwarzen Wolken.

„Setzen!", schrie Dr. Eitel noch einmal. „Habt ihr mich nicht verstanden? Ihr sollt euch setzen!"

Dr. Eitel trat an Niko und die Schüler heran, die seinen Anweisungen nicht nachgekommen waren, und schubste einen von ihnen zurück zu seinem Tisch.

„Wir verlassen das Gebäude", sagte er, als endlich Ruhe und Ordnung eingetreten war. „Wir gehen in Zweierreihen. Wir haben einen vorgeschriebenen Fluchtweg. Es gibt bitte kein Gedränge, auch wenn wir im Treppenhaus auf andere Klassen stoßen. Äußerste Disziplin ist angesagt, meine Herrschaften, ich hoffe, dass dies nur eine Vorsichtsmaßnahme ist."

Die Mädchen und Jungen nahmen ihre Taschen und stellten sich an der Tür auf. Dr. Eitel verließ den Raum zuerst. Er schaute über den Flur und sah, dass die Treppen frei waren. Ein kurzer Wink, die Klasse folgte ihm. Schritt für

Schritt gingen die Mädchen und Jungen durch die Stockwerke. Im Erdgeschoss kam ihnen mit einer beruhigenden Gestik der Schulleiter entgegen.

„Eine Explosion im Physikraum", erklärte er und fügte erleichtert hinzu, dass die Räume, Gott sei Dank, nicht besetzt gewesen seien.

Auch Dr. Eitel zeigte sich erleichtert. „Besteht irgendeine Gefahr für das Haupthaus?"

„Nein, nein", versicherte der Direktor. „Aber trotzdem, wir schicken die Klassen für heute nach Hause."

„Nach Hause?"

Auf den Gesichtern der Jungen und Mädchen zeichnete sich spontane Freude ab. Aber Dr. Eitel fragte sicherheitshalber noch einmal nach. „Wir sollen also nicht weiter unterrichten?"

„Ich sagte nach Hause", wiederholte der Direktor. „Aber sorgen Sie dafür, dass Ihre Leutchen auch wirklich das Schulgelände verlassen!"

Dr. Eitel brauchte der Klasse nicht mehr viel zu erklären. „Geordneter Abzug", sagte er nur. „Und morgen sehen wir uns in alter Frische wieder."

Dieser überraschende Unterrichtsausfall kam der ganzen Klasse supergelegen. Aber von einem geordneten Abzug konnte überhaupt keine Rede sein. Die vorher erzwungene Ordnung löste sich mit einem Male auf und die etwas ängstliche Ruhe schlug in ein fröhliches Geschrei und Geplapper um.

„Kommst du mit zu uns?", fragte Niko, als er mit Eike gemeinsam zum Fahrradständer ging. „Wir könnten den Motor von dem Moped zerlegen. Ausgebaut habe ich ihn schon."

Eike signalisierte Interesse. Er öffnete sein Fahrradschloss, befestigte seine Tasche auf dem Gepäckträger und fragte: „Gibt es bei euch denn etwas zu essen?"

„Hast du Hunger?"

„Noch nicht. Aber bei uns zu Hause ist heute niemand."

„Kein Problem", sagte Niko. „Du weißt ja, wie meine Eltern zu dir stehen."

Herr Kranich war ein wenig überrascht, als die beiden Jungen zu ihm in die Werkstatt stürmten und sich über das zerlegte Moped hermachten. Aber er hatte nichts dagegen, im Gegenteil; wenn sie nur seine Ordnung einhielten. Jedes Werkzeug hatte seinen bestimmten Platz und musste nach Gebrauch in sauberem Zustand wieder an die alte Stelle zurückgelegt oder zurückgehängt werden.

Herr Kranich setzte ein gutmütiges Lächeln auf. „Wenn ihr mit dem Motor Probleme habt", sagte er, „ich bin draußen an der Hebebühne."

Munter schraubten Eike und Niko drauflos. Mit einem Maulschlüssel lösten sie die Schrauben am Zylinderkopf und zogen ihn vom Motorblock. Dann legten sie die Einzelteile fein säuberlich auf den Tisch. Niko zeigte auf ein rundes Teil, das in der Mitte des Zylinders sichtbar geworden war.

„Das ist der Kolben", sagte er. „Der bewegt sich innerhalb des Zylinders und verdichtet das Gasgemisch."

Eike schaute sich die auseinander gebauten Teile genau an. „Können wir noch mehr abschrauben?"

„Hier oben nicht mehr."

„Was ist das denn für ein Loch?", fragte Eike.

Er zeigte auf die Kolbenplatte, in der man ein nur wenige Millimeter großes Loch erkennen konnte.

Niko zuckte mit den Schultern. „Das weiß ich auch nicht", sagte er. „Es sieht jedenfalls nicht gut aus." Er nahm ein Tuch, reinigte die Kolbenplatte und holte Herrn Kranich. „Schaun Sie mal bitte", bat Niko. Er zeigte auf das komische Loch. „Kann das der Grund dafür sein, dass der Motor nicht läuft?"

Herr Kranich warf nur einen kurzen Blick auf das Loch. „Ihr seid prima", sagte er anerkennend. „Wenn ihr so weitermacht, kann ich euch bald in meiner Werkstatt gebrauchen. Schraubt jetzt mal die Zündkerze raus, wir werden eine kleine Überraschung erleben."

Niko schraubte die Zündkerze heraus und legte sie dem Meister in die Hand. Herr Kranich hielt sie in das Licht und schmunzelte. „Genau das, was ich mir vorgestellt hatte. Eine Kerze mit zu hohem Brennwert."

„Und was bedeutet das?", fragte Eike.

Herr Kranich suchte nach einer Antwort. „Zu hoher Brennwert heißt", sagte er nach einiger Zeit, „dass die Kerze mit zu hoher Temperatur arbeitet. Sie hat dem Kolben ein richtiges Loch in den Boden gebrannt. Es ist keine Verdichtung mehr da. Wenn wir einen neuen Kolben besorgen und einbauen, läuft der Motor wahrscheinlich wieder."

Niko und Eike freuten sich. „Wo kriegen wir so einen Kolben?"

„Im Fachhandel natürlich. Am besten ihr schaut in das Branchenverzeichnis. Da werdet ihr schon was finden."

Herr Kranich ging wieder an seine Arbeit und die Jungen wickelten die zerlegten Teile säuberlich in Putzlappen und verstauten sie in einer Schublade. Dann räumten sie das Werkzeug wieder an Ort und Stelle zurück.

In der Küche roch es süßlich. Und nachdem die beiden Jungen Frau Bastian begrüßt hatten, stellte sie jedem von ihnen einen randvollen Teller mit Erbsensuppe hin.

Eike begann sofort mit gutem Appetit zu essen. Aber Niko schaute etwas enttäuscht.

„Und was riecht hier so süß?", fragte er.

„Das ist der Nachtisch", antwortete Frau Bastian. „Frau Kruse hat uns etwas ganz Leckeres gemacht."

Niko schielte zum Herd. „Und was, wenn man fragen darf?"

„Backpflaumen auf Milchreis."

Herr Bastian betrat das Esszimmer. Er begrüßte alle, schüttelte besonders Eike herzlich die Hand und setzte sich mit an den Tisch.

„Hat Mama dir erzählt, was in der Schule los war?", fragte Niko.

„Schon", Herr Bastian schaute auf. „Aber nichts Genaues. Ist jemand verletzt? Ich meine, ist jemandem etwas passiert?"

„Nein, nichts. Es hat nur furchtbar geknallt. Zwei Fenster sind rausgeflogen und Putz soll von der Decke gefallen sein. Mehr weiß ich auch nicht. Aber ich bin schon froh, dass die Stunden bei dem Feiss ausgefallen sind, wir sollten nämlich heute einen Test schreiben."

„Du lernst nicht für die Schule", mahnte Herr Bastian. „Aber das weißt du ja selbst."

Niko antwortete nicht. Er ärgerte sich, dass er dieses Thema angeschnitten hatte. Denn im Grunde wusste er, wie sein Vater zur Schule stand. Niko wechselte das Thema.

„Gefällt dir Billis neue Jacke?"

„Natürlich. Aber vielleicht haben wir sie doch etwas vorschnell gekauft." Herr Bastian schaute seine Frau an. „Wir hätten noch etwas warten können, oder?"

Frau Bastian behielt den Bissen, den sie gerade in den Mund legen wollte, auf der Gabel.

„Wieso?", fragte sie erstaunt. „Seit wann kümmerst du dich darum, wann ich wem etwas zum Anziehen kaufe?"

„Das war kein Vorwurf", sagte Herr Bastian. „Es ist nur wegen der Kommissarin. Sie war gestern sehr zuversichtlich, dass wir die gestohlene Jacke wieder zurückbekommen."

„Dann hat Billi zwei Jacken, aber noch immer kein Kettchen", sagte Niko etwas vorlaut.

„Hör bloß von dem Kettchen auf!" Frau Bastian zog ermahnend die Augenbrauen hoch. „Das dürfen wir der Oma gar nicht erzählen. Du weißt ja, wie sehr sie an solchen Dingen hängt. Sie sind ihr wichtiger als alles andere."

„Irgendwann müssen wir es ihr erzählen", sagte Herr Bastian und wandte sich noch einmal an seinen Sohn. „Habt ihr der Kommissarin die Fotos gebracht?"

Niko nickte. „Alles erledigt."

Herr Bastian wischte sich mit seiner Serviette den Mund ab, stand auf und zog sich seine Hose zurecht. „Hat toll geschmeckt", sagte er. „Das könnt ihr ruhig der Frau Kruse sagen. Vielleicht freut sie sich darüber."

Das Telefon klingelte. Herr Bastian, der schon an der Tür stand, ging in den Flur, hob ab und meldete sich.

„Es ist für dich", sagte er nach wenigen Augenblicken. „Es ist Micha."

Niko ging zum Telefon und gab Eike ein Zeichen, dass er auch kommen solle. Dann fragte er: „Mensch, Micha! Von wo aus rufst du an?"

„Von zu Hause. Ich wollte nur wissen, ob alles klar ist."

„Alles klar?", fragte Niko. Er wusste im Augenblick nicht, was Micha meinte.

„Ja, was wir besprochen hatten."

„Was wir besprochen hatten?"

„Mensch, Kumpel! Wir wollen doch den Typ mit der Sonnenbrille verfolgen oder ist das nicht mehr aktuell? Wann treffen wir uns und wo?"

„Ach so", sagte Niko leise. Er wollte nicht

riskieren, dass seine Mutter mithörte und vielleicht unangenehme Fragen stellte. „Wir treffen uns um sechs Uhr am Hafen. Das heißt, die Mädchen und ich kommen direkt da hin und du kommst mit Eike. Er holt dich nachher ab. Ist jetzt alles klar?"

„Alles klar!"

Am anderen Ende der Leitung knackte es. Auch Niko legte auf.

„Wenn Sibylle kommt", sagte er zu Eike, „dann sprechen wir alles noch einmal gründlich durch. Und falls wir Glück haben, präsentieren wir der Kommissarin noch heute einen gelösten Fall."

Am Hafen war alles ruhig. Niko, Eike, die beiden Mädels und Micha standen in der Nähe einer Telefonzelle und blickten zur *Seespinne*. Der kleine Sportwagen von dem Typen mit der Sonnenbrille parkte vor dem Lokal.

„Alles wie bestellt", flüsterte Micha. „Der entwischt uns nicht."

Die anderen lachten.

„Also", sagte Niko, „ich verstecke mich hinter den beiden abgestellten Containern. Dort sieht mich so schnell niemand."

„Und wir bleiben hier", entschied Micha. „Yvonne und ich nehmen die Verfolgung auf, sobald ihr uns Bescheid gebt und wenn der Sportwagen an uns vorbei zieht."

„Klar", Eike wurde ungeduldig. „Lasst uns anfangen. Sibylle und ich gehen jetzt rein. Alles andere müssen wir spontan entscheiden."

„Gut. Wird schon schief gehen!", sagte Niko, der sich mit diesem Ausspruch noch einmal Mut machte. „Die Funksprechgeräte haben frische Batterien und die Frequenzen sind genau abgestimmt. Wenn wir uns auf unsere Posten verteilt haben, machen wir noch eine Funktionsprobe."

Die anderen nickten.

„Und nach der Aktion, wo treffen wir uns dann?"

„Das weiß kein Mensch", sagte Sibylle und zuckte mit den Schultern und Niko knurrte: „Notfalls sehen wir uns morgen."

Mit einem Male schwiegen alle. Yvonne und Micha gingen zu Michas Golf und stiegen ein. Niko schlich sich an der Kaimauer entlang und versteckte sich hinter den Containern. Sibylle und Eike warteten noch.

Niko drückte die Sprechtaste. „Hallo, hört ihr mich?"

Micha meldete sich zuerst, dann meldete sich Eike. Anschließend riefen sie sich noch einmal gegenseitig an.

Niko war zufrieden. Er kauerte sich zusammen und beobachtete ganz genau, wie seine Schwester und Eike zum Lokal gingen. Als die beiden vor der *Seespinne* standen, drehte sich Sibylle noch einmal um und winkte kurz. Niko drückte ihnen beide Daumen.

Die Atmosphäre in der *Seespinne* war nicht anders als bei dem letzten Besuch. Laute Fröhlichkeit, blitzendes Licht und Rauchschwaden schlugen Eike und Sibylle entgegen. Sibylle konnte ein Husten nicht unterdrücken und Eike fuhr sich unwillkürlich mit einer Hand über die Augen. Am Billardtisch spielten fünf Spieler. Der Typ mit der Sonnenbrille spielte auch mit.

Sibylle und Eike stellten sich an die Theke. Der mit der Sonnenbrille schien ein guter Spieler zu sein. Immer wieder traf er in eines der Löcher und riss dabei jedesmal jubelnd die Arme hoch.

„Das sind nicht alle die Gleichen, die das letzte Mal da waren", sagte Eike. „Bronco und Uwe fehlen. Ich sehe nur Kuttel und diesen weichlichen Richard. Kennst du einen von den anderen?"

„Nein", sagte Sibylle. „Aber wenn die auch zur Bande gehören, Mannomann, dann haben wir es mit einem ganzen Haufen von Leuten zu tun."

Sibylle ließ sich von Eike das Sprechfunkgerät geben. „Ich bin gleich wieder da", sagte sie und stand auf.

Eike hielt sie noch einen Moment zurück. „Sag ihnen, dass sie zu fünft sind und dass wir uns wieder melden."

Sibylle versteckte das Funkgerät unter ihrem Pullover und ging zu den Toiletten. Einen Augenblick musste sie warten, weil beide Klos besetzt waren. Dann aber drückte sie die Starttaste und rief ihren Bruder.

Niko meldete sich. „Alles ruhig hier draußen, wie ist es bei euch?"

„Alles klar", funkte Sibylle zurück. „Mit dem

111

Anführer sind es fünf." Dann schilderte sie die Situation in der Kneipe. „Wenn alle fünf das Lokal verlassen, kommen wir auch raus", sagte sie. „Wenn nicht, dann kommst du zu uns rein."

„O.K.", sagte Niko. „Ich weiß Bescheid."

Sibylle wollte das Funkgerät gerade wieder unter ihren Pullover stecken, da pochte es wild gegen ihre Tür. Sie zuckte zusammen. Hatte da jemand gelauscht? Standen die Typen da eventuell vor ihrer Tür? Was sollte sie tun? Wieder klopfte es. Diemal noch energischer. Sibylle nahm allen Mut zusammen. Sie entriegelte das Schloss und stieß die Tür mit einem kräftigen Schubs auf. Vor ihr stand Eike.

„Du?"

„Ja, ich."

„Was machst du auf der Damentoilette?"

Eike war sehr aufgeregt. Er ignorierte die Frage. „Du musst Micha anfunken", stieß er hervor. „Der Typ mit der Sonnenbrille hat schon bezahlt. Wahrscheinlich verlässt er in wenigen Minuten das Lokal."

Sibylle schnallte sofort. Schnell schloss sie sich noch einmal in der Toilette ein und funkte nach draußen. „Haltet euch bereit", sagte sie betont ruhig. „Der Typ mit der Sonnenbrille kommt gleich."

Dann schaltete sie das Gerät ab und ging wieder zurück zu Eike an die Theke.

Niko hatte Sibylles plötzliche Funkwarnung mitangehört und sofort zu Micha Kontakt aufgenommen. Er wollte sicher sein, dass Micha

112

den Anruf gehört hatte. Micha hatte alles verstanden. Er saß bereits mit Sibylle im Wagen und hatte den Motor gestartet.

„Gut", sagte Niko. Dann sah er den Anführer der Störtebeker-Bande aus der Tür kommen. Er drückte abermals die Sprechtaste. „Er kommt", warnte er und verfiel dabei in die Sprache eines Polizeikommissars, den er kürzlich in einem spannenden Kriminalfilm sehr bewundert hatte.

„Un-se-re Ziel-per-son", sagte er, jede Silbe deutlich und einzeln aussprechend, „hat das Lo-kal ver-las-sen. Sie nä-hert sich jetzt ihrem Au-to. Es ist das auf-ge-motz-te, klei-ne Sport-cou-pé. Es ist wein-rot, hat ein schwarzes Dach und die Ken-nung: HR-YC 331."

Niko machte eine Pause und beobachtete weiter. Als der Typ mit der Sonnenbrille den Wagen startete, nahm er den Sprechfunk wieder auf.

„Ziel-per-son wen-det den Wagen und fährt in Rich-tung Lan-dungs-brü-cken. Müss-te in we-ni-gen Se-kun-den an eu-rer Te-le-fon-zelle vor-bei-kom-men. Wün-sche euch bei der Ob-ser-va-tion viel Er-folg."

Lächelnd schaltete Niko das Gerät ab. Das war der erste Teil unseres Plans, dachte er. Wenn Micha jetzt dranblieb, würden sie bald mehr wissen. Und dass Micha dranblieb, daran bestand kein Zweifel.

Niko schob sich das Funkgerät unter den Ärmel seines Pullovers. Dann ging er in die *Seespinne* und setzte sich zu seinen beiden Freunden mit an die Theke. Yvonne und Eike schwelgten in einer noch gar nicht begründeten Siegesstimmung.

„Wie war es draußen?", fragte Eike und schlug kräftig in die ihm hingehaltene Hand. „Hat alles geklappt?"

„Alles Roger", sagte Niko. „Sibylle und Micha sind hinter dem Typ her wie die Teufel hinter einer armen Seele. Es ging alles so verdammt schnell ..."

„Glaubst du, der Micha lässt sich abhängen?"

Niko machte eine abwertende Handbewegung. „Auf keinen Fall", sagte er. „Da können wir unbesorgt sein." Dann schaute er zu den Typen am Billardtisch. „Und?", fragte er. „Was tut sich da?"

Yvonne fühlte sich angesprochen. „Sie haben aufgehört zu spielen", sagte sie, „wahrscheinlich gehen sie gleich."

Yvonne hatte Recht. Drei der vier Burschen zogen sich ihre Jacken an und gingen zum Ausgang. Nur Richard blieb. Er legte sich die Billardkugeln noch einmal zurecht und spielte alleine weiter.

Niko stand auf und lächelte. „Kommt mit!", sagte er. „Jetzt gehen wir zu ihm und machen ihm ein Angebot, das er nicht ablehnen kann."

Niko, Yvonne und Eike erhoben sich fast gleichzeitig. Sie gingen durch den lang gezogenen Anbau und verteilten sich so um den Spieltisch, dass Richard immer um sie herumlaufen musste. Irgendwann wurde es ihm zu viel.

„Was soll das?", fragte er Eike, der ihm den

Weg zur Spielkugel verstellte. „Mach die Fliege!"

„Wir müssen mit dir reden."

Richard stellte sein Queue mit dem dickeren Ende auf seine Fußspitze und warf mit geöffnetem Mund ein Kaugummi von der linken in die rechte Mundseite. „Was können wir schon bereden?"

Niko mischte sich ein. „Wir haben Fotoapparate, jede Menge ..."

„Und, was geht mich das an?"

„Wir haben einen Tip bekommen, du bist doch einer von den Störtebekern, oder?"

„Wir kämpfen für eine gerechtere Welt, wenn du das meinst. Aber wir handeln nicht mit Fotoapparaten."

Niko ließ sich nicht abweisen. „Ihr könnt sie billig haben", sagte er. „Es ist Markenware ..."

Richard fasste nach einem Stück blauer Kreide und begann sein Queueleder damit zu präparieren. „Wir machen keine krummen Geschäfte", sagte er. „Und außerdem, ich bin nicht der Boss."

Yvonne konnte diesen dahergeredeten Quatsch nicht mehr ertragen. Ihr gingen die Nerven durch.

„Dann hol doch deinen Boss, du Schleimer, einen Haufen Dreck seid ihr. Störtebeker ..., wenn ich das schon höre. Kleine Kinder überfallen und ihnen das Geld wegnehmen ..."

Weiter kam Yvonne nicht. Richard legte plötzlich das Queue quer auf den Billardtisch, griff nach seiner Jacke und trat Yvonne mit einem kurzen Tritt heftig in den Bauch. Dann rannte er weg.

Eike und Niko standen einen Moment wie erstarrt da und Yvonne hielt sich mit schmerzverzerrtem Gesicht den Unterleib. Der Wirt und ein Kellner eilten herbei. Sie bahnten sich von der Theke her einen Weg durch die neugierig gaffenden Gäste.

„Was zum Teufel ist hier los? Schlägereien können mich meine Lizenz kosten."

Niko fasste sich zuerst. „Wir haben nicht angefangen", schrie er zurück. „Das war einer von den Störtebekern."

„Störtebeker?" Der Wirt fasste sich an den Kopf. „Hier gibt es keine Störtebeker! Und nun macht, dass ihr rauskommt!"

Der Kellner und er packten Niko und Eike kurzerhand an den Armen und zogen sie wie zwei Bündel Reisig durch den Anbau hinter sich her. Mit einem heftigen Schubs setzten sie sie vor die Tür.

„Ende der Vorstellung!", rief der Wirt und drohte auch Yvonne mit der Faust, die das Lokal freiwillig verlassen hatte.

9. Kapitel

Eine Menge über den Maikäfer · Der Kerl heißt Hundertmark · Niko schreibt einen Brief, der es in sich hat

Der dickliche Herr Feiss lief ruhelos zwischen den Schulbänken hin und her und wachte mit Argusaugen darüber, dass niemand abschrieb oder anderes Hilfsmaterial benutzte, als er für diesen Test zugelassen hatte.

„Es genügt mir", sagte er zu Beginn der Stunde, „wenn ihr die vollständige Metamorphose am Beispiel einer einzigen Tierart beschreibt. Das aber gründlich."

Niko atmete erleichtert auf. Er konnte also über etwas schreiben, was er wirklich wusste, und brauchte keine dämlichen Fragen zu beantworten, für die es immer nur eine einzige Antwort gab.

Mit einer kurzen Handbewegung zu Eike und einem hingehauchten: „Ich schreibe über den Maikäfer!", griff er zu seinem Kugelschreiber und begann mit der Arbeit.

Die vollständige Metamorphose, dargestellt am Beispiel des Maikäfers
a) Vom Käfer zum Ei

An milden Maitagen, in der lauen Dämmerung, erheben sich plötzlich überall Maikäfer vom Boden oder aus den Blättern der Baumkronen. Maikäfer schwärmen. Mit zunehmender Dunkelheit verengen sich die weiten Flugspiralen der Tiere. Die Käfer lassen sich in meist großen Baumkronen nieder und beginnen gierig und verschwenderisch zu fressen. Ein ganzer Baum kann in einer einzigen Nacht leer gefressen werden. Eichen, Pflaumen und Rosskastanien schätzen diese Tiere am meisten. Bis zu acht Tagen dauert diese Fresszeit, dann erfolgt die Paarung. Nach der Paarung gehen die Männchen ein. Die Weibchen aber bohren sich etwa zehn bis zwanzig Zentimeter in die warme, lockere Erde, um dort bis zu achtzig mohnkorngroße Eier abzulegen.

b) Vom Ei zur Larve

Nach gut vier Wochen schlüpft aus dem Ei ein hässliches, kleines Wesen, das mit einem Maikäfer auch nicht die entfernteste Ähnlichkeit hat. Es ist die Larve. Diese Larve heißt beim Maikäfer Engerling. Der Engerling ist wurmförmig und zum Bauch hin gekrümmt. Er besitzt Kaukiefer und Atemlöcher. Der Engerling ist blind. Er wächst rasch. Sein Chitinpanzer wird ihm zu klein, er häutet sich. Solche Häutungen macht er während seines Larvendaseins jährlich durch. Man könnte sagen:

Fressen, wachsen, häuten – fressen, wachsen,
häuten. Im vierten Jahr, im August, verlässt der
Engerling sein Wurzelrevier.

c) Vom Engerling zur Puppe

In etwa einem Meter Tiefe verschafft sich der
Engerling durch Drehen und Krümmen eine
glatte Höhle, die Puppenwiege.

Dort streift er seine letzte Larvenhaut ab
und wird zur Puppe. Wieder ist der geheimnis-
volle Gestaltwandel augenscheinlich. Denn die
Puppe hat äußerlich nichts mit ihren Vorgän-
gern zu tun. Lediglich wie aus Stein gemeißelt,
erkennt man unter einem glatten, dunklen
Panzer die späteren Flügel, die Fühler, die Bei-
ne und Augen des Käfers. Noch während des
vierten Winters schlüpft der fertige Käfer und
verbringt den Rest des Jahres und den Frühling
in der Puppenwiege. An einem besonders war-
men Maitag schiebt sich der junge Käfer müh-
sam an die Erdoberfläche. Nach vierjährigem
unterirdischem Dasein entfaltet das Insekt sei-
ne Flügel und erhebt sich zu einem kurzen Kä-
ferleben in die Luft.

Fertig. Niko stöhnte richtig auf, als er das
letzte Wort geschrieben und den letzten Punkt
dahinter gesetzt hatte. Die Zeit war ihm wie im
Flug vergangen. Vier Seiten hatte er voll geschrieben. Er schaute zu Eike. Eike hatte bereits abgegeben und wartete schon.

„Beeil dich!“, flüsterte er. „Wer fertig ist,
kann gehen.“

Niko packte seine Tasche, stand leise auf und ging zu seinem Lehrer. „Ich bin fertig", antwortete er. „Ich möchte abgeben."

Herr Feiss betrachtete Niko mit einem kritischen Blick über seinen Brillenrand hinweg. „Du hast noch Zeit", sagte er. „Du könntest alles noch einmal in Ruhe durchlesen."

Niko lehnte ab. „Null Bock", sagte er und verließ mit Eike den Klassenraum.

„Hat eigentlich Spaß gemacht", sagte Niko, als er mit Eike auf dem kürzesten Weg zum Rattenloch fuhr, wo sie sich seit langer Zeit mal wieder mit Sibylle und Yvonne verabredet hatten. „Und wie lief es bei dir?"

„Stabheuschrecke", sagte Eike kurz angebunden und winkte ab. „Ist doch alles dasselbe."

Eike wirkte nicht sehr gesprächig und Niko glaubte, dass das mit dem gestrigen Rausschmiss aus der *Seespinne* zusammenhing. Wenn Berdy mit seinen Scootern dabei gewesen wäre, hätte das anders ausgesehen. Niko lachte leise in sich hinein. Dann aber gefielen ihm seine Rachegedanken doch nicht so ganz. Was wäre eigentlich besser daran gewesen, wenn der Wirt und seine Störtebeker verprügelt worden wären? Hätte da nicht auch wieder nur der Stärkere gesiegt? Und hat der Stärkere denn immer Recht? Ging es denn, verdammt nochmal, immer nur um Kraft und Macht?

Noch hin- und hergerissen konnte Niko diese Gedanken nicht weiter verfolgen, denn Eike vor ihm hob die Hand und bremste.

„Wir kaufen noch ein paar Cola", sagte er und hielt Ausschau nach einer Einkaufsmöglichkeit. Nur wenige hundert Meter weiter war ein Lebensmittelgeschäft. Sie kauften sechs Dosen. Vier steckten sie in ihre Taschen und zwei knackten sie sofort. Nachdem sie getrunken und einige Male tief durchgeatmet hatten, ging es Eike besser. Niko drückte seine leere Dose zu einem Häufchen Blech zusammen und warf sie in einen Mülleimer.

„Wir haben Zeit", sagte er zu Eike. „Du brauchst nicht mehr so zu rasen. Die Mädchen sind bestimmt noch nicht da."

Sie stiegen wieder auf ihre Räder. Eike fuhr vorne weg, schwieg eine Zeitlang und schimpfte irgendetwas in sich hinein. Dann drehte er sich plötzlich um.

„Scheiße", rief er laut. „Wenn man bloß nicht so machtlos wäre."

„Du meinst gestern Abend, stimmt's?", keuchte Niko.

Eike grinste verächtlich und verlangsamte so lange sein Tempo, bis er mit Niko auf gleicher Höhe war.

„Fortschritt ist Rückschritt", sagte er. „Denk mal darüber nach. Der Staat kann die Bürger nicht mehr schützen. Das hat Dr. Eitel im Politikunterricht gesagt. Der Staat ist ein unbeweglicher Moloch, ein zentnerschwerer, ins Wasser gefallener Ochse, der von zehntausend kleinen Piranhas bei lebendigem Leib gefressen wird."

Niko staunte über Eike, der manchmal aus

dem Stegreif Sachen sagte, die genau dem entsprachen, was er selber fühlte. Es war im Grunde das, was in den ganzen Zeitungen gestanden und was Herr Rotherkamp auch gesagt hatte. Viele Menschen erkennen die bestehende Ordnung nicht mehr an. Sie fühlen sich ausgebeutet und nehmen sich einfach, was sie brauchen. Sie leben nach dem Motto: Her damit, das steht mir zu.

Niko ließ den Lenker für einen Moment los und putzte sich die Nase. Dann bogen sie ab in die Poppenbütteler Allee und radelten ein Stück an der Alster entlang bis zum Rattenloch. Hier war es ruhig und friedlich. Sie lehnten ihre Räder an einen Baum und suchten das Ufer mit den Augen ab. Von Ottilie war wieder nichts zu sehen.

„Ob sie überhaupt noch lebt?"

Eike schaute fragend zu Niko und Niko hob die Schultern.

„Weiß nicht", antwortete er und richtete seine Aufmerksamkeit auf den schmalen Sandweg, über den Sibylle und Yvonne laut lachend und kichernd angeradelt kamen.

„Hallo!", riefen sie und setzten sich zu den beiden Jungen in das braune Gras. „Ihr habt was zu trinken?"

„Ihr seht aber auch alles", sagte Niko und warf den Mädchen je eine Dose zu.

Eike rückte etwas näher an Yvonne und ließ sich ein wenig gegen ihre Schulter fallen. „Das brauche ich jetzt", schmeichelte er. „Irgendwie bin ich nicht gut drauf."

Yvonne legte einen Arm um Eike. „Ich kriege einen Tritt in den Bauch und du brauchst Mitleid."

Eike entschuldigte sich. „Wie geht es dir?", fragte er besorgt.

„Soweit ganz gut. Ich habe einen blauen Fleck, aber keine Schmerzen."

„Was haben deine Eltern dazu gesagt?"

„Ich habe es ihnen nicht erzählt. Das hätte nur Ärger gegeben. Was habt ihr beschlossen?"

„Beschlossen?"

„Na ja, wegen der Störtebeker."

„Noch gar nichts." Eike wandte sich an Sibylle. „Erzähl uns, was gestern bei euch los war. Was habt ihr genau rausgekriegt?"

„Du weißt gar nichts?"

„Ein bisschen. Nur das, was Niko mir vor dem Unterricht erzählt hat."

Sibylle überlegte einen Moment. „Ich mache es kurz", sagte sie. „Also, Micha und ich haben den Sportwagen durch die halbe Stadt verfolgt. Der Typ mit der Sonnenbrille fuhr zuerst nach Eimsbüttel. Dort besuchte er einen Karate-Club und blieb ungefähr eine Stunde. Dann raste er weiter nach Eppendorf. In der Kühlwetterstraße stellte er seinen Wagen ab und ging zu einem großen, neuen Hochhaus. Wir konnten genau sehen, wie er sich an dem dritten Briefkasten aus der ersten Reihe zu schaffen machte und einige Briefe und Zeitungen rausnahm. Dann öffnete er die Haustür und verschwand im Treppenhaus."

„Gute Arbeit", sagte Eike anerkennend.

„Und wie ich dich kenne, bist du hinterher zu dem Briefkasten gegangen und hast dir seinen Namen aufgeschrieben, stimmt's?"

„Was denn sonst?", fragte Sibylle schnippisch. „Du wirst dich totlachen. Der Kerl heißt Hundertmark, Jürgen Hundertmark."

„Totlachen?" Eike verzog sein Gesicht. „Totlachen würde ich mich schon", antwortete er, „wenn das nicht so ein Schwein wäre. Ich wette, der lässt die anderen für sich arbeiten und sahnt dick ab."

„Genau", sagte Niko, der die ganze Zeit geschwiegen hatte. „Ich könnte mir vorstellen, dass wir ihm eine Schlinge auslegen, in der er sich verfängt und aus der er nicht mehr herauskommt."

Die drei anderen schauten Niko interessiert an.

„Und?", fragte Sibylle. „Da bin ich aber gespannt."

„Billi", sagte Niko und legte freundlich einen Arm um seine Schwester. „An meiner Idee ist nichts Außergewöhnliches. Nur eine kleine Erpressung. Wir schreiben ihm einen Brief. Wir schreiben, dass wir alles über ihn wissen und dass er uns deine Jacke und das goldene Kettchen zurückgeben muss."

Sibylle wiegte ihren Kopf nachdenklich hin und her. „Was meint ihr dazu?", fragte sie die anderen.

„Eine gute Idee", sagte Yvonne spontan. „Wenn der ein reines Gewissen hat, was ich übrigens nicht glaube, dann schmeißt er den Brief einfach weg. Wenn nicht, dann …"

„... meldet er sich bei uns", ergänzte Eike.

„Was heißt denn bei uns melden?" Sibylle schaute Eike fragend an. „Willst du dem etwa unsere Anschriften und Telefonnummern aufschreiben?"

„Quatsch", mischte sich Niko ein. „Natürlich nicht. Wir schlagen ihm einen Treffpunkt vor. Am besten im Park. Das ist sein Jagdrevier, da müsste er sich ja auskennen."

„Der kommt bestimmt nicht", vermutete Sibylle, „der nimmt das doch nicht ernst."

Niko blinzelte seiner Schwester listig zu. „Muss er aber. Wir machen noch mehr Druck", sagte er. „Wir drohen ihm einfach mit der Polizei."

„Wer schreibt den Brief?", fragte Yvonne.

„Immer der, der die besten Ideen hat", sagte Sibylle. „Das ist ein klarer Fall für Niko."

„Oder für Eike und mich", entgegnete Niko, der diese Aufgabe nicht allein erledigen wollte. Aber Eike lehnte ab. „Geht leider nicht, ich habe heute noch einen Termin bei dem Rotherkamp. Ich muss unterschreiben, dass ich freiwillig bei meinem Vater bleibe und so weiter."

„O.K." Niko war einverstanden. Er wandte sich zu seiner Schwester. „Dann schreibe ich den Brief eben mit dir. Es ist ja schließlich deine Jacke und dein Kettchen."

Aber auch bei seiner Schwester hatte Niko nicht den gewünschten Erfolg.

„Yvonne und ich müssen nachher zum Training", sagte Sibylle. „Sei ein lieber Bruder und schreibe den Brief allein. Und wenn ich vom

Training zurückkomme, dann werfe ich ihn dem Hundertmark in den Kasten, dass es nur so brummt."

Niko gab sich geschlagen. „Es ist wirklich schön, wenn man gute Freunde hat", sagte er ironisch. „Dann schreibe ich den Brief eben allein. Für wann soll ich den Kerl denn bestellen und an welchen Ort?"

„Er soll morgen um 19.00 Uhr am Springbrunnen sein", sagte Eike. „Ich bringe meine Kamera mit. Und sieh zu, dass Micha auch kommt. Es kann sein, dass wir Verstärkung brauchen."

Mit dem Brief in der Tasche radelte Sibylle am späten Nachmittag zu dem Hochhaus in der Kühlwetterstraße. Gegenüber, auf der anderen Seite der Straße, war eine Apotheke. Dort stellte Sibylle ihr Fahrrad ab. Die Kühlwetterstraße war stark befahren und zwischen den vielen Fußgängern fiel Sibylle nicht auf. Trotzdem war sie vorsichtig. Sie wollte auf keinen Fall, auch nicht durch Zufall, von diesem Hundertmark gesehen werden. Bedächtig zog sie den Brief aus der Tasche und faltete ihn auseinander. Sie wollte ihn noch einmal lesen, um sicher zu sein, dass Niko nichts Wesentliches vergessen hatte. Sibylle schmunzelte. Eine Anrede hatte der Brief nicht. Aber das war von Niko sicherlich kein Versehen, sondern Absicht.

Freitag, 16. September
Wir wissen, stand da in deutlicher Schrift

126

geschrieben, *wer Sie sind. Wir kennen Ihren Namen, Ihre Autonummer, Ihren Karate-Club und Ihren Umgang in der Seespinne. Wir haben Fotos von Ihnen. Wir wissen auch, dass Sie der Chef der Störtebekerbande sind. Einmal abgesehen davon, dass das, was Sie zu verantworten haben, hinterlistig und niederträchtig ist, haben Sie uns auch noch persönlich geschädigt.*

Es geht um eine rote Jacke, in der sich ein goldenes Armkettchen befunden hatte. Wir wollen beides zurück. Wir tauschen die Sachen gegen die Negative der Bilder. Treffpunkt ist der Springbrunnen im Poppenbütteler Park. Seien Sie pünktlich, befolgen Sie unsere Anweisungen und kommen Sie morgen allein um 19.00 Uhr dorthin. Andernfalls nehmen wir schnellstens Kontakt zur Polizei auf.

Sibylle faltete den Brief wieder zusammen. So wie Niko ihn geschrieben hatte, war alles klar und unmissverständlich. Irgendwie war sie stolz. Sie wechselte die Straßenseite und ging ohne zu zögern auf Hundertmarks Hauseingang zu. Dann steckte sie den Brief in den Kasten und klingelte. Als es in der Gegensprechanlage knackte und eine männliche Stimme: „Hallo, wer ist da?", fragte, da antwortete sie nur: „Es ist wichtige Post für Sie da, aber es sind keine hundert Mark."

10. Kapitel

Skylla ist nicht dabei ·
Ein Anruf, der alles ändert ·
Frau Striemitzer greift ein

Der Vormittag in der Schule war öde gewesen und Niko hatte sich, bis auf die beiden Sportstunden, auf nichts so richtig konzentrieren können. Der Sport allerdings, ein wildes Handballspiel mit vielen Fouls und vielen Toren, hatte ihn für zwei Stunden alles vergessen lassen. Doch nun, auf dem Weg nach Hause, holten ihn seine alten Fragen wieder ein.

Hatten sie für den heutigen Abend wirklich alles gründlich genug vorbereitet?

Hatten sie nichts Wichtiges vergessen?

Würde der Typ heute Abend wirklich kommen?

Der letzte Punkt war die entscheidende Frage und die konnte ihm im Augenblick niemand beantworten. Dann war da noch ein weiteres Problem. Wo war Micha? Warum ging er nicht ans Telefon? Er hatte doch Urlaub.

Niko nahm schwungvoll die Auffahrt zum Speditionshof. Herr Kranich saß noch mit seinen Leuten in der Werkstatt bei der Mittagspause.

„Guten Appetit!", rief Niko im Vorübergehen. Dann stutzte er. Mitten in der Werkstatt, auf einem Schemel, hockte Micha und verzehrte seine mitgebrachten Butterbrote.

„Hallo, Micha! Was machst du denn hier? Ich denke, du hast Urlaub?"

Micha stand auf und kam auf Niko zu. „Dachte ich auch", antwortete er. „Aber ein Kollege ist krank geworden, und da bin ich für ihn eingesprungen."

„Ach so", sagte Niko. „Aber wir brauchen dich. Wir haben dem Kerl mit der Sonnenbrille ein Ultimatum gestellt. Um 19.00 Uhr, am Springbrunnen im Park, da wollen wir ihn treffen. Kommst du mit?"

„Geht nicht", bedauerte Micha. „Ich habe eine Tour nach Flensburg. Da bin ich vor neun nicht zurück."

Niko machte ein enttäuschtes Gesicht, denn Micha wäre wirklich eine Verstärkung gewesen. Er versuchte sich nichts anmerken zu lassen.

„Mach dir keine Sorgen", sagte er, „wir haben uns von Frau Kleinhold ein Handy ausgeliehen. Wenn die Sache gefährlich wird, rufen wir um Hilfe."

Micha nickte und gab Niko einen Schubs in Richtung Haupthaus.

„Deine Mutter ruft", sagte er. „Ich glaube, sie hat was Leckeres gekocht."

Mit dem Handy in der Tasche, auf dem schon die Nummern der Spedition und der Polizei eingespeichert waren, betrat Niko kurz vor sechs Uhr das *Vesuvio*. Eike, Yvonne und Sibylle warteten schon da und tranken Cola.

„Wo ist Micha?", fragte Yvonne, als sie sah, dass Niko allein kam.

Sie trug eine frech ins Gesicht gezogene Schirmmütze, unter der sie ihre langen, blonden Haare versteckt trug.

„Er kann nicht", sagte Niko. „Er hat eine Tour nach Flensburg."

Die anderen drei sahen Niko enttäuscht an.

„Ich bin ziemlich nervös", sagte Sibylle plötzlich. „Ich habe furchtbar kalte Hände."

Niko setzte sich zu seinen Freunden mit an den Tisch und bestellte bei Enrico eine Cola. „Bis zum Springbrunnen laufen wir höchstens zehn Minuten."

Eike nickte. „Du hättest besser den Hund mitgebracht", sagte er plötzlich. „Ich meine, so ein Dobermann verschafft uns eine Menge Respekt."

„Wollte ich eigentlich, aber ich dachte, wenn der Kerl uns mit so einem Hund sieht, dann haut der vielleicht wieder ab."

Sibylle schob ihr leeres Glas ein Stück von sich weg und verrieb mit den Fingern die feuchte Spur, die es auf dem Tisch hinterließ.

„Skylla hätte nicht gestört", sagte sie zu Niko. „Wenn Eike sich sowieso hinter einem Gebüsch versteckt, um alles zu fotografieren, dann hätte er sie einfach mitnehmen können."

Niko musste einsehen, dass er da wohl einen halben Meter zu kurz gedacht hatte.

„Pech", gab er kleinlaut zu. „Aber nun ist es zu spät."

Yvonne zückte ihr Portmonee. „Kommt, wir gehen los. Es wird Zeit."

Die vier zahlten ihre Getränke und machten sich auf den Weg zum Park. Sie gingen nicht sehr schnell und sie sahen auch nicht wie Helden aus, die gleich eine Schlacht gewinnen würden.

„Irgendwie freue ich mich, wenn es vorbei ist", sagte Niko.

„Ich auch", jammerte Eike. „Ich muss meiner Mutter morgen beim Umziehen helfen, da brauche ich heile Knochen."

Sibylle blieb entsetzt stehen. „Euer Gequatsche nimmt mir wirklich den ganzen Mut", sagte sie genervt.

Niko riss sich zusammen. „Du hast Recht, Billi, wir quatschen tatsächlich nur dummes Zeug. Wir brauchen keine Angst zu haben. Ein Mann alleine kann gegen uns nichts ausrichten. Wir haben die Sache angefangen und bringen sie jetzt auch zu Ende."

Bei seinen letzten Worten hatte Niko seine beiden Hände hochgehalten.

„Schlagt ein!", sagte er und lachte plötzlich wieder, als sie alle drei seiner Aufforderung nachkamen.

Die Laune war, als sie an den Park kamen, wirklich besser. Zuversichtlich nahmen sie den

Weg in Richtung Springbrunnen. Es war halb sieben: genug Zeit, um sich noch einmal genau umzusehen.

„Hier bei den Bänken warten wir", sagte Niko und stellte dann erfreut fest, dass sich bei dem schönen Wetter auch zwei junge Frauen mit ihren Kindern und ein älterer Herr am Springbrunnen aufhielten. Das erhöhte ihre Sicherheit. Auch Eike und die Mädchen bedauerten die Anwesenheit der anderen Leute nicht. Denn so musste sich der Typ, wenn er denn überhaupt kam, schön friedlich verhalten.

Eike zeigte auf eine kleine Buschgruppe, die etwa vierzig Meter entfernt vor einer Eiche stand. „Das ist ein guter Platz für mich, von dort aus kann ich alles ganz genau sehen und fotografieren."

Niko lächelte seinen Freund an. Dann gab er ihm das Handy und sagte: „Alles klar, wir bleiben hier und warten."

Niko und die beiden Mädchen setzten sich auf eine der freien Bänke, während Eike seinen Beobachtungsposten einnahm. Sie schauten den Kindern beim Spielen zu, betrachteten die beiden Mütter und sahen den alten Mann an, der die Abendsonne genoss. Inzwischen war es fünf Minuten vor sieben.

„Wann kommt der Typ denn endlich?", fragte Sibylle ungeduldig, obwohl sie wusste, dass diese Frage von niemandem beantwortet werden konnte. „Wenn ich der wäre, dann würde ich das hinter mich bringen wollen."

„Ich auch", flüsterte Yvonne. „Mir geht es genauso."

„Der wird sich Zeit lassen", vermutete Niko. „Der ist vorsichtig und guckt zuerst einmal, ob er nicht in eine Falle läuft. Wenn ich der Kerl wäre, dann würde ich das jedenfalls so machen."

Wieder vergingen mehrere Minuten. Niko und die beiden Mädchen sagten nichts mehr. Für ein lockeres Gespräch waren sie alle zu verkrampft.

„Lange halte ich das nicht mehr aus", fing Sibylle wieder an. „Was ist, wenn die Frauen hier ihre Kinder einsammeln und ..."

Sibylle traute ihren Augen nicht. So, als hätte sie das Kommando gegeben, standen die beiden Frauen auf und packten die wenigen Spielsachen ein, die sie mitgebracht hatte. Dann riefen sie ihre Kinder und gingen. Blieb nur noch der alte Mann? Nein, nicht mal der. Auch er erhob sich und folgte den beiden Frauen in Richtung U-Bahn-Station.

„Jetzt wird es aber einsam hier", stellte Niko trocken fest. Und er hatte Recht. Der Park schien völlig leer zu sein. Niko schaute wieder auf die Uhr. „Es ist Viertel nach sieben. Ein bisschen warten wir noch."

Die Zeit schien endlos, denn der Sekundenzeiger, den Niko nicht mehr aus den Augen ließ, schlich dahin wie eine lahme Schnecke. Von der Alster her kam jemand durch den Park. Sibylle sah ihn zuerst, dann Yvonne.

„Ob er das ist?"

Die Frage blieb unbeantwortet. Denn bevor der Mann nahe genug herangekommen war, um erkannt zu werden, bog er in einen Seitenweg und verschwand.

Eike, der sich bisher völlig still verhalten hatte, kam plötzlich hinter den Büschen hervor.

„Niko!!!", rief er aufgeregt und hielt seinem Freund das Telefon entgegen, „es ist dein Vater."

Niko übernahm den Apparat. „Hallo, Papa! Ich bin es Niko."

„Hör mal, Niko!" Die Stimme von Herrn Bastian klang deutlich und fest. „Keine lange Unterhaltung. Ihr verlasst sofort den Park. Frau Striemitzer hat den Mann auf dem Foto identifiziert. Er ist ein Krimineller. Er ist brutal und schon einschlägig vorbestraft. Frau Striemitzer ist unterwegs zu euch."

„Woher wisst ihr, wo wir sind?" Niko wollte die Zusammenhänge nicht so einfach verstehen.

„Frau Striemitzer war bei mir. Ich habe euch überall suchen lassen und nicht gefunden. In meiner Not habe ich Micha über das Bordtelefon angerufen. Gut, dass Micha Bescheid wusste. Er hat uns erklärt, was ihr vorhabt, und erzählt, wo ihr euch mit dem Kerl treffen wollt. Und jetzt raus aus dem Park, aber hurtig!"

Niko drückte die Endetaste.

„Wir müssen gehen", sagte er hastig. „Hundertmark ist ein gefährlicher Verbrecher."

Eilig und ängstlich nach links und rechts spähend gingen sie los. Yvonne stolperte und raffte sich wieder auf. Niko half ihr. Dann aber, als sie gerade schräg über eine Wiese gehen wollten, um den Weg abkürzen, sprangen fünf Gestalten hinter einer Hecke hervor. Sie trugen Kapuzen mit Augenschlitzen und stellten sich den vier Freunden in den Weg. Noch bevor Niko, Eike und die beiden Mädchen reagieren konnten, waren sie umzingelt und wurden wie eine Herde Schafe hinter eine Buschgruppe getrieben.

Der Schreck lähmte ihnen die Glieder. Sibylle, die vorher noch gesagt hatte, dass sie wie eine Wilde um sich schlagen und treten würde, lehnte sich kraftlos gegen einen Baum. Wer waren diese vermummten Leute? Waren es der Hundertmark mit seinen Störtebekern?

Einer der Vermummten, der Anführer, stellte sich breitbeinig vor Niko.

„Na, Freundchen, am liebsten würde ich dir die Fresse polieren", sagte er. „Vielleicht tue ich das auch."

Die anderen Kapuzenträger lachten und der Anführer drehte Niko schmerzhaft die Nase um. „Was willst du Scheißer denn von mir?", fragte er.

Niko nahm alle Kraft zusammen. „Die Jacke und das goldene Kettchen", stöhnte er.

„Haha, du glaubst wohl, du bist James Bond persönlich. Und außerdem, was wollt ihr mir beweisen, was wollt ihr uns beweisen? Ich selber habe nichts getan und die anderen, die sind noch keine sechzehn, die kriegen höchstens eine kleine Jugendstrafe."

Wieder piesackte der Typ Niko. Diesmal drehte er ihm ein Ohr um.

Eike konnte das nicht mehr mit ansehen. „In den Knast kommt ihr, ins Gefängnis!", rief er mit zornigem Gesicht.

Der Kapuzenmann drehte sich zu Eike um und gab ihm einen Stoß, dass er zu Boden ging.

„So, und jetzt leert mal eure Taschen aus. Alle!"

Die vier gehorchten. Viel war es nicht, was zum Vorschein kam: ein bisschen Bargeld, das Handy und natürlich Eikes teure Kamera. Über die Kamera und das Handy freute sich der Kapuzenmann. „Na, wenigstens etwas", sagte er und schaltete das Telefon ein.

Sibylle, die noch immer zusammengekauert am Baum lehnte, kniff voller Hass und Abscheu die Augen zusammen. Wut stieg in ihr auf. Völlig überraschend wurde sie aktiv. Sie sprang vor und riss dem Vermummten, während er spielerisch eine Telefonnummer wählte, die Kapuze runter.

„Jetzt", rief sie, „jetzt können wir alles beweisen. Jetzt wissen wir, dass Sie das sind. Sie, der Kerl mit der Sonnenbrille, Jürgen Hundertmark."

Jürgen Hundertmark stand da wie vom Blitz getroffen. Sein Gesicht verfinsterte sich.

„Das hättest du nicht tun dürfen", schrie er und drehte und wand sich wie ein verletztes Tier. „Kommt! Macht sie fertig!"

Seine Helfer, die noch alle ihre Kapuzen aufhatten, stürzten sich auf die vier Freunde. Ein wildes Handgemenge entstand. Eike wehrte sich, so gut es ging. Niko riss während des Fallens einen der Kapuzenmänner mit zu Boden, Yvonne schrie wie am Spieß und Sibylle machte endlich ihr Versprechen wahr und schlug und trat um sich, dass niemand so richtig an sie herankam. Niko ächzte und stöhnte. Einer der Kapuzenmänner lag auf ihm drauf und wollte ihm ins Gesicht schlagen. Aber dazu kam es nicht. Niko spürte, wie der Kapuzenmann von ihm heruntergerissen wurde, und sah, dass auch Eike, Sibylle und Yvonne befreit wurden. Dann hörte er die Stimme seiner Schwester: „Frau Striemitzer!", rief sie. „Gott sei Dank, dass Sie gekommen sind."

Frau Striemitzer stand inmitten einer ganzen Polizeimannschaft, die inzwischen die Kapuzenmänner überwältigt hatten. Ihr Gesicht war angespannt. Sie schaute sich um und sah, dass die Lage geklärt war.

„Über das, was hier los ist, kann ich mich nicht freuen". sagte sie. „Aber darüber reden wir später. Ist jemand verletzt?"

Obwohl Eike ein blaues Auge hatte, schüttelten die vier ihre Köpfe. Frau Striemitzer wandte sich an ihre Kollegen.

„Die fünf gehen alle mit aufs Revier und der Herr Hundertmark bekommt bitte Handschellen!"

Die Polizisten zogen ab. Frau Striemitzer schaute ihnen noch ein Weilchen hinterher. Dann atmete sie hörbar und erleichtert aus. „Das war ja höchste Eisenbahn", sagte sie.

„Wie konntet ihr nur so leichtsinnig sein?"

Weder Niko und Eike noch Sibylle oder Yvonne gaben eine Antwort. Betreten und vom Schreck noch einigermaßen angegriffen schauten sie auf Frau Striemitzers Schuhspitzen. Die Kommissarin blieb ernst. „Helden!", sagte sie in einem etwas versöhnlicherem Ton. „Ich bringe euch jetzt nach Hause, und wenn eure Eltern schlau sind, dann wissen sie, was sie mit euch zu tun haben."

11. Kapitel

Von einem reparierten Moped, einem gewissen Kettchen und was Herr Kranich eigentlich nicht versteht

„Er läuft, er läuft!", rief Niko.

Freudig riss er die Arme hoch, schlug Eike auf die Schulter und warf Herrn Kranich einen überaus begeisterten Blick zu. Über den ganzen Vormittag hinweg hatten Eike und er Boutenzüge neu verlegt, Speichen nachgezogen, die Elektrik überprüft und zum Schluss den reparierten Motor eingebaut. Herr Kranich selbst hatte eine neue Kerze eingeschraubt, etwas Benzin in den Vergaser gespritzt und den Motor gestartet. Er freute sich mit den Jungen.

„Was habt ihr denn mit dem Moped vor?", wollte er dennoch wissen. „Fahren dürft ihr damit jedenfalls nur auf dem Betriebsgelände, wenn überhaupt."

Niko nickte eifrig. „Wenn wir fünfzehn werden, machen wir den Führerschein", rief er in das Geknatter. So lange bleibt das Gerät in der

Garage." Dann zeigte er auf einen Polizeiwagen, der über die Auffahrt auf das Betriebsgelände gefahren kam. Frau Striemitzer und ein junger Polizist stiegen aus.

„Hallo", sagte die Kommissarin und begrüßte alle Anwesenden mit Handschlag. „Ist Sibylle da?"

Niko bedauerte. „Nein, sie ist zum Kanutraining."

„Und dein Vater?"

„Auch nicht. Aber meine Mutter. Sie ist im Büro."

Frau Striemitzer nickte. „Ist ja eigentlich auch egal", erklärte sie. „Ich habe Neuigkeiten."

„Geht es um den Hundertmark?"

„Ja, wir haben nicht nur seine Wohnung durchsucht, sondern wir sind auch auf ein kleines Lager bei einem seiner Freunde gestoßen. Wir haben allerlei Diebesgut sicherstellen können. Sibylles Kettchen ist auch dabei."

„Wahnsinn! Kann ich es haben?"

„Noch nicht. Aber Sibylle soll in den nächsten Tagen einmal ins Präsidium kommen."

Niko strahlte. „Ein Glückstag", sagte er begeistert. „Erst läuft der Motor und nun kriegt Billi auch noch das Kettchen zurück. Sie wird vor Freude ausflippen – und alle anderen auch."

Herr Kranich wandte sich an die Kommissarin. „Was wird denn nun aus der ganzen Bande? Ich meine, werden die alle bestraft?"

Frau Striemitzer nickte. „Mit Sicherheit.

Den Anführer, diesen Jürgen Hundertmark, erwartet eine Haftstrafe von mindestens zwei Jahren und seine minderjährigen Helfer müssen mit einer empfindlichen Jugendstrafe rechnen. Immerhin, was sie getan haben, war Raub unter Anwendung von Gewalt, das ist ein schlimmes Verbrechen."

Herr Kranich schaute ein wenig erschrocken. „Es ist wirklich schade, wenn junge Menschen sich auf diese Weise ihr Leben zerstören", sagte er und zuckte hilflos mit den Achseln.

Frau Striemitzer nickte bestätigend, warf einen kritischen Blick auf das Moped und wandte sich an die Jungen. „Und ihr? Was habt ihr hier vor?"

„Wir pumpen die Reifen auf und fahren anschließend in den *Greyhound*, wir werden Berdy alles erzählen. Die Scooterfahrer sind unsere Freunde."

Die Kommissarin holte tief Luft. Aber noch bevor sie zu Wort kam, sagte Eike: „Keine Angst, Frau Striemitzer, in den *Greyhound* fahren wir mit dem Fahrrad."

ABENTEUER-SERIE VON
WOLFGANG KAMMER

Vier greifen ein!
(Band 1)
Autoknackern auf
der Spur

Vier greifen ein!
(Band 2)
Diebe auf dem
Campingplatz

Vier greifen ein!
(Band 3)
Geheime Fracht
an Bord

Vier greifen ein!
(Band 4)
Überfall im Park